Oaxaca

Historia y Geografía *Tercer grado*

Oaxaca.
Historia y Geografía. Tercer grado

Autores
Anselmo Arellanes Meixueiro (coordinador),
Víctor de la Cruz Pérez, Manuel Esparza Camargo,
Víctor Raúl Martínez Vázquez, María de los Ángeles
Romero Frizzi, Francisco José Ruiz Cervantes, Carlos
Sánchez Silva

Supervisión
Juan Manuel Herrera Huerta

Supervisión técnica y pedagógica
Subsecretaría de Educación Básica y Normal
de la Secretaría de Educación Pública

Portada
Diseño: Comisión Nacional de Libros de Texto Gratuitos
Ilustración: Viernes del mercado, 1980,
acrílico sobre aplanado 295 m^2,
Rodolfo Morales (1925-2001).
Salón de Cabildo, Palacio Municipal de Ocotlán de Morelos
Reproducción autorizada: H. Ayuntamiento Constitucional
de Ocotlán de Morelos, Oaxaca
Fotografía: David Maawad

Primera edición, 1994
Segunda edición revisada, 2000
Tercera edición revisada, 2002
Primera reimpresión, 2002 (ciclo escolar 2003-2004)

D.R. © Ilustración de portada: Rodolfo Morales
D.R. © Secretaría de Educación Pública, 1994
    Argentina 28, Centro,
    06020, México, D.F.

ISBN 970-18-6776-9

Impreso en México

Servicios editoriales

Diseño
Agustín Azuela de la Cueva

Corrección de estilo
Alfredo Herrera Patiño

Fotografía
Jorge Acevedo, José Jorge Carreón Robledo,
Ariel Mendoza

Ilustración
Elvis Gómez Rodríguez
Raúl Cervantes

PRESENTACIÓN

Este nuevo libro de texto gratuito tiene como propósito, que las niñas y los niños que cursan el tercer grado de la educación primaria conozcan mejor la historia y la geografía de la entidad federativa en la cual viven: su pasado y sus tradiciones, sus recursos y sus problemas.

El Plan de Estudios de la educación primaria, elaborado en 1993, otorga gran importancia al conocimiento que el niño debe adquirir sobre el entorno inmediato: la localidad, el municipio y la entidad. Este aprendizaje es un elemento esencial de aprecio y arraigo en lo más propio, y ayuda a que los niños se den cuenta de que nuestra fuerte identidad como nación se enriquece con la diversidad cultural, geográfica e histórica de las regiones del país.

Este libro es resultado de la colaboración entre la Secretaría de Educación Pública y el Gobierno del Estado de Oaxaca y ha sido escrito por maestros y especialistas residentes en la entidad. Es por tanto, una expresión del federalismo educativo, establecido en la Ley General de Educación.

Con la renovación de los libros de texto, se pone en marcha un proceso de perfeccionamiento continuo de los materiales de estudio para la escuela primaria. Cada vez que la experiencia y la evaluación lo hagan recomendable, los libros del niño y los recursos auxiliares para el maestro serán mejorados, sin necesidad de esperar largo tiempo para realizar reformas generales.

Para que estas tareas tengan éxito, son indispensables las opiniones de los maestros y de los niños que trabajarán con este libro, así como las sugerencias de madres y padres de familia que comparten con sus hijos las actividades escolares. La Secretaría de Educación Pública necesita sus recomendaciones y críticas.

Estas aportaciones serán estudiadas con atención y servirán para que el mejoramiento de los materiales educativos sea una actividad sistemática y permanente.

ÍNDICE

PRIMERA PARTE
GEOGRAFÍA

UNIDAD 1

OAXACA EN MÉXICO

Niños de Oaxaca.

Localización de la República Mexicana

México, nuestro país, está situado al norte de América, que es uno de los cinco continentes en los que está dividido el planeta Tierra. Los otros cuatro continentes son: África, Asia, Europa y Oceanía.

Así como las personas que viven cerca de tu casa son tus vecinos, México tiene también países vecinos: al norte los Estados Unidos de América, al sur Belize y Guatemala; además, al este limita con el Golfo de México y al oeste con el Océano Pacífico.

MÉXICO EN EL MUNDO

IDEAS PRINCIPALES

Nuestro planeta Tierra está dividido en cinco continentes.

México se localiza al norte del continente americano.

MÉXICO Y SUS VECINOS EN AMÉRICA

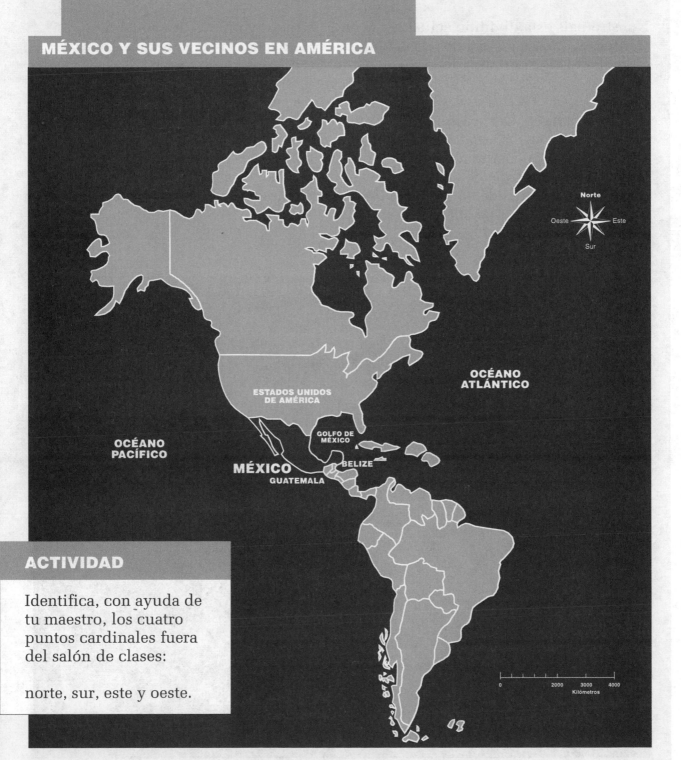

Norte
Oeste — Este
Sur

OCÉANO ATLÁNTICO

ESTADOS UNIDOS DE AMÉRICA

OCÉANO PACÍFICO

GOLFO DE MÉXICO

MÉXICO

BELIZE

GUATEMALA

0   2000   3000   4000
Kilómetros

ACTIVIDAD

Identifica, con ayuda de tu maestro, los cuatro puntos cardinales fuera del salón de clases:

norte, sur, este y oeste.

Oaxaca en la división política de México

Nuestro país está dividido actualmente en 31 estados y un Distrito Federal. Oaxaca es uno de los estados de la República Mexicana. El mapa te muestra claramente los nombres y la localización de los estados que integran a México.

Por su tamaño, Oaxaca ocupa el quinto lugar en todo el país. Únicamente son más grandes los estados de Chihuahua, Sonora, Coahuila y Durango. Todos ellos se encuentran en el norte de México. Oaxaca es la entidad federativa más grande del centro y del sur de México. La superficie total del estado de Oaxaca es de 95 mil 364 kilómetros cuadrados. Sus costas tienen una longitud de más de 500 kilómetros.

DIVISIÓN POLÍTICA DE LA REPÚBLICA MEXICANA

México está dividido en 31 estados y un Distrito Federal.

Por su tamaño, Oaxaca ocupa el quinto lugar entre los estados del país.

Cada entidad federativa se compone de tres elementos:

• Población, es decir, el conjunto de sus habitantes.

• Territorio, que es el espacio donde viven sus habitantes.

• Gobierno estatal, que se encarga de organizar las actividades de interés público y de prestar los servicios a la población.

ACTIVIDADES

En el siguiente mapa:

1. Ilumina del color que más te guste el territorio del estado de Oaxaca.

2. Ilumina de otro color a los países vecinos de México.

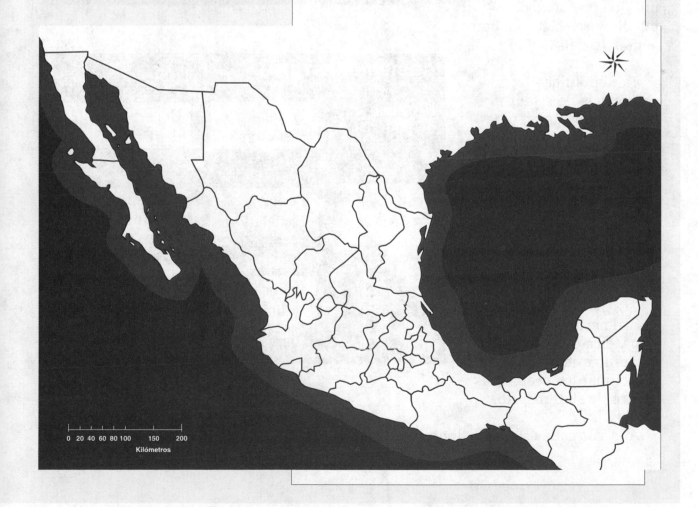

0 20 40 60 80 100   150   200
Kilómetros

Forma de gobierno

Con la finalidad de que en nuestro país vivamos de manera organizada, los mexicanos hemos adoptado como forma de gobierno la República Federal. Vamos a explicarte en qué consiste.

Nuestra Constitución establece que la **soberanía** nacional reside en el pueblo. Todo poder público proviene del pueblo y se establece para beneficio del pueblo.

La República está compuesta de estados libres y soberanos, pero unidos en una Federación.

El gobierno federal es el responsable de tomar las decisiones sobre los asuntos de interés para todo el país, es decir, en la unión de todos los estados.

Cada estado de la República tiene un gobierno que debe solucionar los problemas dentro de su territorio.

GOBIERNO FEDERAL

División de poderes

Gobierno Federal
- Poder Ejecutivo → Presidente de la República
- Poder Legislativo → Cámara de Diputados / Cámara de Senadores
- Poder Judicial → Suprema Corte de Justicia de la Nación

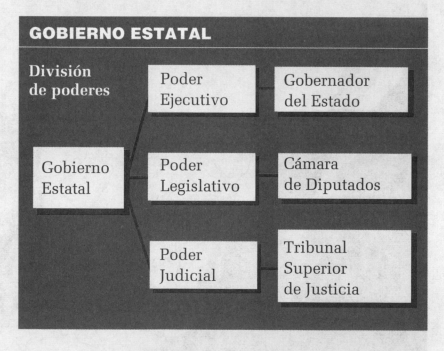

GOBIERNO ESTATAL

División de poderes

Gobierno Estatal
- Poder Ejecutivo → Gobernador del Estado
- Poder Legislativo → Cámara de Diputados
- Poder Judicial → Tribunal Superior de Justicia

A la vez cada estado se divide en municipios, lo cual estudiaremos más adelante.

El pueblo de México ejerce su soberanía por medio de los Poderes de la Unión:

• El Poder Ejecutivo que encabeza el presidente de la República.

• El Poder Legislativo está organizado en dos cámaras: la Cámara de Diputados y la Cámara de Senadores. Este Poder se encarga de hacer las leyes que rigen en nuestro país.

• El Poder Judicial, encabezado por la Suprema Corte de Justicia de la Nación, que se encarga, precisamente, de la impartición de justicia.

En los estados los poderes están divididos de la misma forma que en el gobierno federal: Ejecutivo, Legislativo y Judicial.

En Oaxaca el Poder Ejecutivo lo encabeza el gobernador del estado; el Poder Legislativo está formado sólo por una Cámara de Diputados; y el Poder Judicial por el Tribunal Superior de Justicia del estado.

Es voluntad del pueblo mexicano constituirse en una República representativa, democrática, federal, compuesta de Estados libres y soberanos en todo lo concerniente a su régimen interior; pero unidos en una federación establecida según los principios de esta Ley fundamental.

Artículo 40º de la Constitución Política de los Estados Unidos Mexicanos, 1917.

IDEAS PRINCIPALES

La soberanía nacional reside en el pueblo.

México es una República Federal.

En nuestra República Federal hay tres niveles de gobierno: federal, estatal y municipal.

En la Federación y en los estados hay tres poderes: Ejecutivo, Legislativo y Judicial.

ACTIVIDADES

Subraya la respuesta correcta:

1. El gobierno que toma decisiones sobre los asuntos de interés para todo el país es:

a) Gobierno federal   b) Gobierno estatal   c) Gobierno municipal

2. Los tres poderes que integran al gobierno federal son: Ejecutivo, Legislativo y...

a) Municipal   b) Judicial   c) Administrativo

3. Oaxaca, como el resto de los estados del país, es:

a) Libre y Soberano   b) Federal   c) Municipal

UNIDAD 2

OAXACA

La magia de Oaxaca.

¿Dónde está Oaxaca?

Como puedes ver en los mapas, el estado de Oaxaca está situado en el sur de la República Mexicana.

Vamos a estudiar con cuáles entidades **colinda** nuestro estado. Oaxaca limita al norte con los estados de Puebla y Veracruz, al este con el estado de Chiapas, al sur con el Océano Pacífico y al oeste con el estado de Guerrero.

Oaxaca se parece a los estados de Chiapas y Guerrero, por lo cual estas tres entidades forman la región Pacífico sur de la República Mexicana.

En todos los estados del país existe una ciudad a la que se da el título de capital del estado, porque ahí radican los tres poderes. En el estado de Oaxaca, la capital es la ciudad de Oaxaca de Juárez.

ESTADOS QUE LIMITAN CON OAXACA

REGIÓN PACÍFICO SUR

El estado de Oaxaca está al sur de la República Mexicana.

La capital del estado es la ciudad de Oaxaca de Juárez.

En la capital del estado residen los Poderes Ejecutivo, Legislativo y Judicial.

El nombre de Oaxaca viene de *Huaxyacac*, palabra de origen náhuatl que significa "en la nariz o en la punta de los guajes". Este nombre recuerda el hecho de que hace mucho tiempo, en el lugar donde actualmente se encuentra Oaxaca, había muchos árboles de guajes, cuyas vainas son de color rojo.

En el caso de la capital del estado, se conoce como Oaxaca de Juárez en honor de Benito Juárez.

Árbol de guaje.

ACTIVIDADES

1. En el mapa ilumina con distintos colores las entidades con las que colinda Oaxaca.

2. Escribe en tu cuaderno los nombres de los pueblos vecinos a tu comunidad.

3. ¿Qué significa el nombre de tu comunidad? Investígalo junto con tus compañeros de clase y escribe en tu cuaderno lo que aprendas al respecto.

Las regiones de Oaxaca

Algo propio del paisaje oaxaqueño es la gran cantidad de sierras o conjuntos de montañas que atraviesan a nuestro estado de un lado a otro. Lo montañoso del territorio de Oaxaca forma regiones distintas entre sí con características muy particulares.

Oaxaca se divide en ocho regiones: la Cañada, la Costa, el Istmo, la Mixteca, la Sierra Norte, la Sierra Sur, Tuxtepec o Papaloapan y los Valles Centrales.

Región de la Costa.

REGIONES DE OAXACA

Norte

PUEBLA

VERACRUZ

CAÑADA TUXTEPEC

MIXTECA

SIERRA NORTE

GUERRERO

VALLES CENTRALES

ISTMO

CHIAPAS

COSTA

SIERRA SUR

0 10 20 30 40 50   75   100
Kilómetros

OCÉANO PACÍFICO

La región de la *Cañada* se encuentra al norte del estado, colinda con Puebla y tiene buenas comunicaciones, aunque es la más pequeña de las ocho regiones.

La *Costa*, de hermosas playas, se localiza al sur y limita con el estado de Guerrero. Buena parte de su territorio es de tierras planas, sin montañas, y soplan vientos húmedos que vienen del mar.

Alrededores de Mitla. Valle de Tlacolula.

El *Istmo,* al este de Oaxaca, limita con los estados de Veracruz y Chiapas y con el Océano Pacífico. Esta región se localiza en la parte más angosta de la República Mexicana y por eso se le llama Istmo. Por su ubicación geográfica es la región mejor comunicada de Oaxaca.

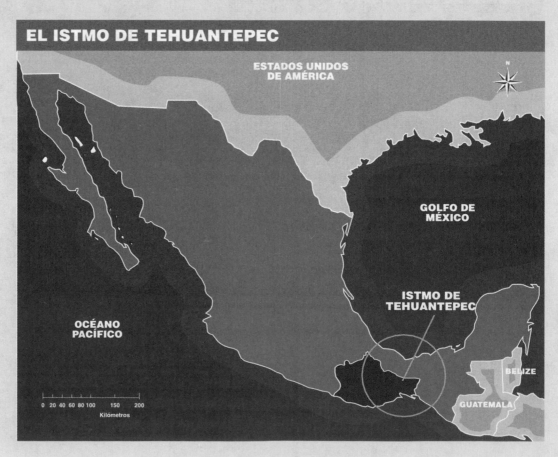

EL ISTMO DE TEHUANTEPEC

ESTADOS UNIDOS DE AMÉRICA

GOLFO DE MÉXICO

ISTMO DE TEHUANTEPEC

OCÉANO PACÍFICO

BELIZE

GUATEMALA

0 20 40 60 80 100   150   200
Kilómetros

La *Mixteca* forma parte de una zona más grande que abarca territorios de los estados vecinos de Puebla y Guerrero. Como es una región muy extensa tiene bosques y zonas secas. Ahí son escasos los terrenos planos pues abundan las montañas. La **erosión** ha causado muchos daños en la parte norte de la Mixteca.

Yalalag.

La *Sierra Norte*, como su nombre lo indica, es sumamente montañosa, con bosques de pinos. Esta región divide a los Valles Centrales de la región de Tuxtepec.

En la *Sierra Sur* hay bosques y se cultiva café. Sus montañas separan a la Costa de la región de los Valles. En la división tradicional de Oaxaca, la Sierra Sur forma parte de la Mixteca y de los Valles Centrales.

Donde las montañas de la Sierra Norte comienzan a descender se inicia una región de tierras bajas en las que llueve mucho. Esta región es la de *Tuxtepec,* también conocida como región del Papaloapan, porque la atraviesa el río del mismo nombre. En la región se han construido dos grandes **presas**. Colinda con tierras veracruzanas.

Región de la costa.

Limitada por ambas sierras se encuentra una región de tierras altas pero planas, llamada región de los *Valles Centrales*. En esta región vive la mayoría de la población oaxaqueña y en su territorio se localiza la capital del estado. En los Valles Centrales el comercio y el turismo son muy importantes.

IDEAS PRINCIPALES

Oaxaca se divide en ocho regiones: la Cañada, la Costa, el Istmo, la Mixteca, la Sierra Norte, la Sierra Sur, Tuxtepec y los Valles Centrales.

Cada región tiene características que la hacen diferente a las demás.

ACTIVIDADES

1. En el mapa identifica la región donde vives e ilumina sus colindancias.

2. Si tienes parientes que vivan en otra región de Oaxaca indícalo en el mapa con otro color.

PUEBLA

VERACRUZ

Norte

GUERRERO

CHIAPAS

0 10 20 30 40 50 75 100
Kilómetros

OCÉANO PACÍFICO

Los distritos

El territorio de nuestro estado no sólo se divide en regiones, sino también en distritos.

El distrito es una división administrativa, utilizada por el gobierno estatal. De acuerdo con la *Constitución Política del Estado de Oaxaca*, existen 30 distritos judiciales y rentísticos.

Se llaman distritos judiciales porque en su territorio se encuentra una oficina pública conocida como juzgado, donde un juez resuelve conflictos que afectan la vida de los habitantes del distrito, como son robos y pleitos.

Se llaman rentísticos porque cuentan con otra oficina, la de recaudación de rentas, por medio de la cual el gobierno recibe dinero del pueblo o impuestos.

Como puedes observar en el cuadro de la derecha, las regiones de Oaxaca no tienen el mismo número de distritos cada una.

REGIONES	DISTRITOS
Cañada	Cuicatlán Teotitlán
Costa	Jamiltepec Juquila Pochutla
Istmo	Juchitán Tehuantepec
Mixteca	Coixtlahuaca Huajuapan Juxtlahuaca Nochixtlán Silacayoapan Teposcolula Tlaxiaco
Tuxtepec	Choapan Tuxtepec
Sierra Norte	Ixtlán Mixe Villa Alta
Sierra Sur	Miahuatlán Putla Sola de Vega Yautepec
Valles Centrales	Centro Ejutla Etla Ocotlán Tlacolula Zaachila Zimatlán

Estado de Oaxaca

IDEAS PRINCIPALES

El distrito es una división de carácter administrativo.

En Oaxaca existen 30 distritos.

Cada uno de los distritos tiene un juzgado y una oficina de recaudación.

C	G	E	A	F	M	I	L
Z	A	A	C	H	I	L	A
F	T	A	C	K	X	S	I
F	D	E	R	T	E	B	N
Q	O	C	O	T	L	A	N

ACTIVIDADES

1. Localiza en el mapa el distrito donde se encuentra tu comunidad e ilumínalo del color que más te guste.

2. Sopa de letras: encuentra los nombres de tres distritos de Oaxaca.

DISTRITOS DE OAXACA

PUEBLA

VERACRUZ

Norte

TUXTEPEC

TEOTITLÁN

COIXTLAHUACA

HUAJUAPAN
SILACAYOAPAN

CUICATLÁN

TEPOSCOLULA

CHOAPAN

IXTLÁN

VILLA ALTA

JUXTLAHUACA

NOCHIXTLÁN

MIXE

ETLA

TLAXIACO

CENTRO

ZAACHILA

ZIMATLÁN

TLACOLULA

OCOTLÁN

PUTLA

SOLA DE VEGA

EJUTLA

JUCHITÁN

YAUTEPEC

TEHUANTEPEC

JAMILTEPEC

MIAHUATLÁN

CHIAPAS

JUQUILA

GUERRERO

0 10 20 30 40 50 75 100
Kilómetros

POCHUTLA

OCÉANO PACÍFICO

570 MUNICIPIOS EN OAXACA

2378 MUNICIPIOS EN MÉXICO

1808 MUNICIPIOS EN EL RESTO DEL PAÍS

Los municipios

En las lecciones anteriores hemos hablado de regiones, de distritos y ahora nos ocuparemos de los municipios. El municipio es la base de la división territorial y de la organización política que le da forma a todos los estados que integran la República Mexicana, tal y como la piedra, el carrizo, el adobe o el ladrillo le dan forma a nuestras casas.

El número de municipios varía en cada estado de la República. Oaxaca es el estado que cuenta con más municipios en todo el país: tiene 570.

La Constitución Política de nuestro país establece que a cada municipio corresponde un ayuntamiento, encabezado por un presidente municipal, auxiliado de regidores, síndicos y un tesorero.

Oficialmente hay **elecciones** de autoridades municipales cada tres años. En la mayoría de los municipios de Oaxaca, su nombramiento se realiza en asambleas donde participan todos los habitantes mayores de 18 años.

Los ayuntamientos son los encargados de prestar a la población los servicios públicos: dotación de agua potable, alumbrado, limpia, así como vigilar que se mantenga el orden, entre otros. En Oaxaca existen municipios que por tener pocos recursos no ofrecen todos los servicios.

De acuerdo con su población, importancia económica y los servicios públicos con los que cuentan, las comunidades pueden tener la categoría de ciudades, villas, pueblos, rancherías, congregaciones y núcleos rurales.

Dentro del territorio de un municipio, a la comunidad en la que está el ayuntamiento se le conoce como cabecera municipal.

IDEAS PRINCIPALES

El municipio es la base de la división territorial en la República Mexicana.

Oaxaca tiene 570 municipios.

La población de un municipio elige oficialmente a sus autoridades cada tres años.

ACTIVIDADES

1. Investiga cuál es la categoría de la comunidad donde vives.

2. Con tu maestro y tus compañeros de clase visita a las autoridades de tu comunidad con el fin de conocer las funciones que realizan y los servicios que prestan.

Los usos y costumbres

En nuestro país existen leyes escritas que sirven para organizar la vida entre los mexicanos. La ley más importante es la *Constitución Política de los Estados Unidos Mexicanos*, que establece cuáles son los derechos y las obligaciones que tenemos todos los mexicanos. De la Constitución se desprenden las demás leyes y reglamentos.

En Oaxaca se respetan las leyes escritas, pero en muchas comunidades también se obedecen las tradiciones y las costumbres que en los pueblos han existido a lo largo del tiempo. Los "usos y costumbres" rigen desde los momentos más importantes hasta los más sencillos de las comunidades oaxaqueñas.

Ejemplo de lo anterior es el *tequio*, forma de trabajo colectivo voluntario, que ha permitido y permite a las comunidades construir un camino, edificar las aulas de la escuela, o reparar un edificio público, entre muchas otras actividades de interés común.

Otros ejemplos de usos y costumbres son la reunión de ciudadanos en la asamblea de la población o los consejos de ancianos para decidir sobre asuntos que afectan a toda la comunidad, como el nombramiento de sus autoridades.

El respeto a estas costumbres es tan grande, que muchos oaxaqueños que trabajan fuera de sus comunidades regresan para compartir la fiesta anual o también para cumplir con los cargos que les corresponden.

Autoridades tradicionales de una comunidad tacuate.

IDEAS PRINCIPALES

La ley más importante de nuestro país es la Constitución Política de los Estados Unidos Mexicanos.

En muchas comunidades de Oaxaca se obedecen las tradiciones y costumbres.

ACTIVIDADES

1. Pregunta a tus papás y a tus abuelos cómo se practica el *tequio* en tu comunidad. Escribe en tu cuaderno algunos ejemplos de *tequio*.

2. Investiga otras costumbres propias de tu comunidad.

¿CÓMO ES OAXACA?

Orografía

Te preguntarás si todo Oaxaca es como el lugar donde vives. La respuesta es no, pues Oaxaca es muy variado.

¿Recuerdas que en la lección 5 estudiamos las diferencias entre las ocho regiones? En algunas regiones hay

Valle de Nochixtlán.

terrenos planos, por ejemplo en los Valles Centrales, en Tuxtepec, en el Istmo y en la Costa. Pero Oaxaca es también uno de los estados más montañosos de la República Mexicana. Para conocer cómo es nuestro estado debemos estudiar las diferentes formas de relieve, es decir, su *orografía*.

Una sierra es como una gran fila de montañas, una seguida de otra. Oaxaca tiene tres grandes sierras: la *Sierra Madre del Sur*, la *Sierra Madre Oriental* –también conocida como Sierra de Oaxaca– y la *Sierra Atravesada*. Las dos primeras vienen desde el norte de nuestro país. La Atravesada se ubica en el Istmo.

Hay algunas sierras pequeñas que forman parte de las tres que acabamos de mencionar. Probablemente tú vives en alguna de ellas. Así, por ejemplo, en la Sierra Madre Oriental puedes encontrar la Sierra Mazateca o de Huautla, la Sierra de Cuicatlán, la Sierra Chinanteca, la Sierra Juárez o de Ixtlán y la Sierra Mixe.

PUEBLA

CERRO
VOLCÁN
PRIETO

CERRO
HUMO
GRANDE

VERACRUZ

CERRO
YUCUYACUA

SIERRA MADRE
ORIENTAL

GUERRERO

CERRO
PIEDRA DE
OLLA

SIERRA
ATRAVESADA

CHIAPAS

SIERRA MADRE DEL SUR

CERRO
QUIEXOBA

OCÉANO PACÍFICO

0 10 20 30 40 50   75   100
Kilómetros

Norte

Todas estas montañas hacen que desde arriba el estado de Oaxaca se vea como en tu mapa de sierras, o también como cuando arrugas con tus manos una hoja de papel: se ven picos y picos por todos lados.

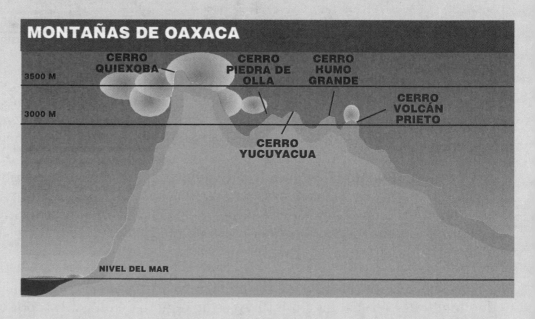

MONTAÑAS DE OAXACA

CERRO
QUIEXOBA

CERRO
PIEDRA DE
OLLA

CERRO
HUMO
GRANDE

CERRO
VOLCÁN
PRIETO

3500 M

3000 M

CERRO
YUCUYACUA

NIVEL DEL MAR

En Oaxaca hay montañas de diversos tamaños. Algunas son muy grandes, como las de la Sierra Mixe, donde alcanzan más de tres mil metros de altura. ¿Cerca de tu comunidad cuál cerro será el más alto?

Entre algunas montañas y cerros se forma lo que se llama un cañón, es decir, un paso estrecho que alguna vez fue cauce de antiguos ríos. Los cañones más famosos en Oaxaca son el de Yucuxina en Nochixtlán y los de Quiotepec y Tomellín en la región de la Cañada. La línea del ferrocarril que une las ciudades de México y Oaxaca sigue el curso del cañón de Tomellín por lo que los viajeros pueden ver las montañas de la Cañada a ambos lados del tren.

En la muy variada orografía de Oaxaca también hay valles, que son terrenos planos entre montañas, como el Valle de Oaxaca y el Valle de Nochixtlán; hay planicies costeras como las del Istmo; y también hay cavernas o grutas como las de la Cañada, San Sebastián de los Fustes, en el Distrito de Sola de Vega, e Ixcuintepec, en los Mixes.

ACTIVIDADES

1. Investiga y escribe en tu cuaderno los nombres de los cerros de tu comunidad.

2. Dibuja en tu cuaderno un paisaje con cerros de distintas alturas.

LAS MONTAÑAS MÁS ALTAS DE OAXACA

NOMBRE	ALTITUD EN METROS	REGIÓN	DISTRITO
Cerro Quiexoba	3,750	Sierra Sur	Miahuatlán
Cerro Yucuyacua	3,380	Mixteca	Tlaxiaco
Cerro Piedra de Olla	3,350	Mixteca	Tlaxiaco
Cerro Volcán Prieto	3,250	Cañada	Cuicatlán
Cerro Humo Grande	3,250	Sierra Norte	Ixtlán

Fuente: Cetenal, *Carta topográfica, 1978-1981*.

Hidrografía

¿Recuerdas qué sucede cuando llueve? ¿Has visto cómo corre el agua frente a tu casa? Si cae una llovizna se forman arroyos pequeñitos, en cambio si cae una tormenta se forman corrientes de agua más grandes y continuas. Algo parecido sucede con los ríos: los hay pequeños y los hay **caudalosos**.

La hidrografía estudia los ríos, lagos y lagunas. El río más grande de Oaxaca es el Papaloapan, en la región de Tuxtepec. Un río tan grande como el Papaloapan siempre se alimenta de otros ríos más pequeños. Al gran río Papaloapan se le unen, entre otros, el río Grande, el río Tomellín, el río Santo Domingo y el río Tonto.

Los ríos recorren grandes distancias para **desembocar** en el mar. En Oaxaca existen dos grandes **vertientes** a donde va a dar el agua de sus ríos: la vertiente del Golfo de México y la vertiente del Océano Pacífico. El Papaloapan desemboca en el Golfo de México.

Fuente: CGSNEGI, Carta de aguas superficiales, 1981.

El río Coatzacoalcos-Uxpanapa que nace en la selva de los Chimalapas, también desemboca en el Golfo de México.

Algunos de los ríos oaxaqueños que vierten sus aguas en el Océano Pacífico son los siguientes: Ometepec, La Arena, Atoyac-Verde, Tehuantepec, Los Perros, Santo Domingo, Niltepec, Zanatepec y Novillero.

En su trayecto los ríos a veces tienen que dar saltos en las montañas: el agua cae formando *cascadas*. En Oaxaca tenemos hermosas cascadas como El Salto de Conejo, en Panixtlahuaca; la de Cabandihui, en Yosondúa; la de Yatao en Ixtlán; el Salto de Fraile, en Juxtlahuaca; la cascada de Apoala en Nochixtlán; así como Jalatengo y Guiley en el distrito de Miahuatlán.

En las costas del Océano Pacífico existen varios depósitos naturales de agua a los que llamamos *lagunas*. Las más importantes de Oaxaca son las lagunas de Chacahua y Manialtepec, en la región de la Costa; y las lagunas Superior e Inferior en el Istmo de Tehuantepec.

Aprovechando el curso de los ríos, el hombre ha construido grandes **presas**. El agua contenida en las presas sirve principalmente para regar plantíos agrícolas y para generar energía eléctrica. Entre las presas más importantes se encuentran la Presa Miguel Alemán o Temazcal; la Miguel de la Madrid o Cerro de Oro —ambas en la región de Tuxtepec—, la Benito Juárez o del Marqués en el Istmo y la de Yosocuta en la Mixteca.

El río más grande de Oaxaca es el Papaloapan.

En Oaxaca existen dos grandes vertientes en las que desembocan los ríos: la del Golfo de México y la del Océano Pacífico.

Para aprovechar el agua de los ríos se han construido presas.

Río de la Sierra Norte.

ACTIVIDAD

¿Cuál es el río más cercano a tu comunidad? Dibuja un paisaje en el que aparezca un río.

Climas

Si te has subido a lo alto de una montaña, probablemente habrás sentido más frío cuando estás arriba. ¿Sabes por qué? La razón es que el clima depende mucho de la altura de un lugar respecto al nivel del mar; también depende de los vientos y de la humedad, es decir, de cuán seco o lluvioso sea ese lugar.

Con tantas montañas, valles, cañadas y costas, Oaxaca tiene gran variedad de climas: hay lugares donde hace frío, otros son templados y algunos más son calurosos.

En la Sierra Norte por lo general hace mucho frío; en la Costa, el Istmo y en la región de Tuxtepec el calor es muy fuerte; en los Valles centrales, en cambio, el clima es generalmente templado. Dependiendo del clima, los cultivos, el ganado y las actividades de la población cambian.

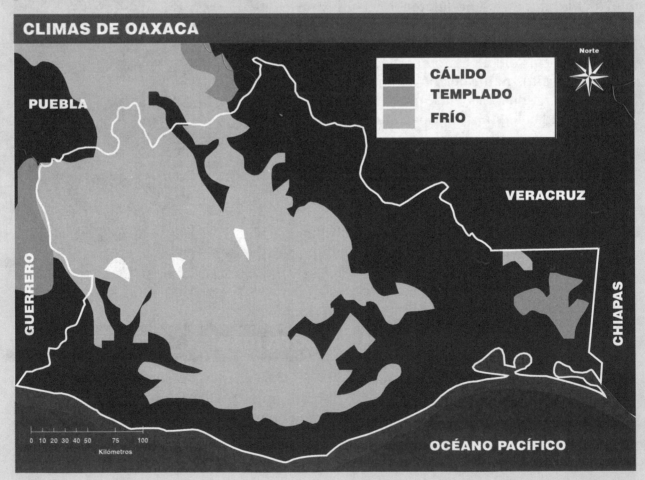

CLIMAS DE OAXACA

Norte

CÁLIDO
TEMPLADO
FRÍO

PUEBLA

VERACRUZ

GUERRERO

CHIAPAS

0 10 20 30 40 50   75   100
Kilómetros

OCÉANO PACÍFICO

El clima es muy importante para el crecimiento y desarrollo de las plantas y los animales. Gracias a sus diferentes climas, Oaxaca tiene la flora y la fauna más variada del país. En las ocho regiones de Oaxaca viven miles de **especies** de plantas y animales, especies que debemos proteger, pues de ello depende nuestra propia sobrevivencia.

En la costa el clima es cálido.

Una de las zonas más importantes, por su influencia en el clima y por la cantidad de animales y plantas que tiene, es la selva de Los Chimalapas. Además en esta zona de Oaxaca existe una mayor diversidad de árboles que la existente en los países más extensos del continente: Canadá y Estados Unidos de América.

ACTIVIDAD

En el calendario que aparece abajo colorea con azul los meses en que hace más frío en tu comunidad, con rojo los meses en que hace más calor y marca con una X los meses en que llueve más.

Enero	Febrero	Marzo
Abril	Mayo	Junio
Julio	Agosto	Septiembre
Octubre	Noviembre	Diciembre

Niños mixes en la Sierra Norte en donde el clima es frío.

Vías de comunicación y medios de transporte

En un estado con tantas montañas como el nuestro, siempre ha sido difícil trasladarse de una región a otra y a veces de un poblado a otro. Ha llevado muchos años la construcción de caminos y se han tendido —como se dice— vías de ferrocarril para que podamos trasladarnos con mayor facilidad. Actualmente, además de caminos de tierra o terracería existen también carreteras o caminos cubiertos con chapopote por los que circulan toda clase de vehículos.

Una de las carreteras más importantes de Oaxaca es la 190 o Panamericana que comunica al Distrito Federal y a Puebla con nuestro estado, uniendo a muchos poblados y ciudades como Huajuapan, Tehuantepec, Juchitán y Tapanatepec. La carretera Panamericana conecta al Continente Americano de norte a sur.

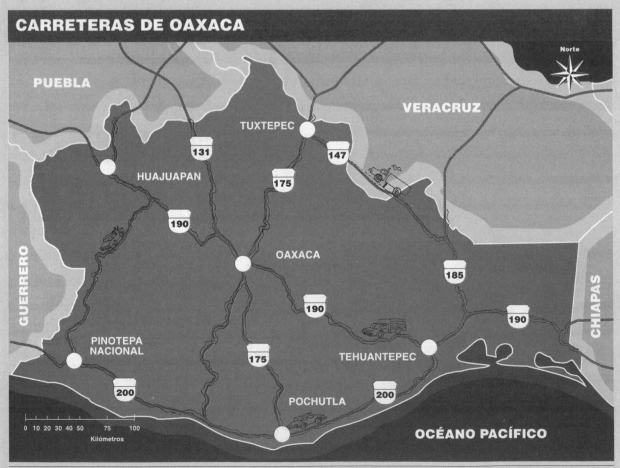

Fuente: Álvarez, Luis Rodrígo, *Geografía general de los estados de Oaxaca*, p. 155.

Otras carreteras importantes de Oaxaca son las siguientes: la carretera federal 125 comunica a la región Mixteca con la región de la Costa y une a Huajuapan con Pinotepa Nacional, pasando por Tlaxiaco, Putla, Teposcolula y Yolomécatl. La carretera federal 131 o de la Cañada, une a Tehuacán, en el estado de Puebla, con Teotitlán, Cuicatlán y Telixtlahuaca en Oaxaca.

La carretera federal 175 une a Tuxtepec con la ciudad de Oaxaca, y luego continúa hasta Puerto Ángel en la región de la Costa. La carretera federal 185 o Transístmica, atraviesa el Istmo de Tehuantepec desde Salina Cruz, en Oaxaca, hasta Coatzacoalcos en el estado de Veracruz. La carretera federal 200 o Costera, pasa por Pinotepa Nacional, Puerto Escondido, Pochutla, Huatulco, Huamelula y Salina Cruz.

Fuente: Álvarez, Luis Rodrigo, *Geografía general del estado de Oaxaca*, p.158.

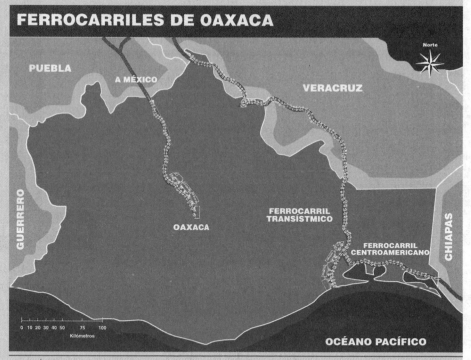

Fuente: Álvarez, Luis Rodrigo, *Geografía general del estado de Oaxaca*, p.158.

Por otra parte, desde hace más de cien años tenemos ferrocarriles en Oaxaca. Las principales líneas ferroviarias son las siguientes: la que une a la ciudad de México con la ciudad de Oaxaca; la Transístmica que comunica a Coatzacoalcos con Salina Cruz; el Ferrocarril Centroamericano que viene de Veracruz y une a la región del Istmo con el estado de Chiapas, llegando hasta la frontera de México con Guatemala.

En los últimos años la gente también se traslada en avión. Desde la ciudad de Oaxaca, Huatulco y Puerto Escondido, es posible viajar en avión a la capital del país y a otras ciudades de México en muy poco tiempo. Ixtepec cuenta con un aeropuerto militar y en avioneta se puede viajar a muchos otros lugares en el estado donde los aviones grandes no pueden aterrizar.

Estación de ferrocarril, ciudad de Oaxaca.

Pero antes de que los aviones volaran por los cielos de Oaxaca y de que el ferrocarril o los automóviles recorrieran nuestro estado, había barcos que navegaban por las costas oaxaqueñas transportando mercancías y llevando pasajeros a grandes distancias. El puerto más importante de Oaxaca es Salina Cruz; otros puertos del estado con menos movimiento marítimo son Puerto Ángel y Puerto Escondido.

Además, hay otros medios de comunicación. El correo, el telégrafo y el teléfono son muy importantes. La gente envía y recibe noticias a través de cartas y telegramas. Por teléfono podemos hablar con personas que se encuentran incluso en los países más lejanos.

Desde hace mucho tiempo los periódicos son un medio adecuado para la difusión de noticias. En Oaxaca se publican diversos periódicos. Algunos, editados en la ciudad de Oaxaca, llegan a casi todo el estado. La señal de las estaciones de radio llega a los lugares más apartados y sirven tanto para conocer lo que sucede en otros sitios del estado y del país, como para escuchar música. En nuestro estado existen dos canales de televisión, que hoy en día es uno de los medios de difusión más importantes.

IDEAS PRINCIPALES

Oaxaca tiene importantes carreteras, pero al ser un estado montañoso no todas las regiones cuentan con buenos caminos.

La radio, el teléfono, el correo, los periódicos y la televisión son medios de comunicación importantes para Oaxaca.

ACTIVIDAD

En tu cuaderno haz un dibujo de los medios de transporte y comunicación que hay en tu comunidad:

Camión	Coche
Ferrocarril	Avión
Barco	Lancha
Carreta	Teléfono
Telégrafo	Correo
Periódico	Radio
Fax	Televisión

UNIDAD 4
POBLACIÓN Y RECURSOS NATURALES DE OAXACA

Asoleando la grana cochinilla.

La población en las zonas rurales y urbanas

Luego de ver a todos tus compañeros de la escuela te habrás preguntado cuántos niños y niñas, así como personas mayores, hay en Oaxaca. Como hemos dicho, los habitantes de un pueblo, de una ciudad, de un estado o de un país forman su población.

En el estado de Oaxaca somos 3 millones 438 mil 765 habitantes. En nuestro estado, de cada 100 personas, 38 son menores de 15 años; los demás tienen 15 años o más. Toda esa población vive en muchos lugares, 55 de cada 100 en comunidades rurales que viven principalmente de la agricultura y el resto en localidades urbanas.

Hay en Oaxaca más de 10 mil localidades. La mayor parte de los pueblos son pequeños. De cada 100 oaxaqueños, 52 viven en pueblos con menos de dos mil habitantes.

Las ciudades grandes del estado de Oaxaca son pocas. Entre ellas podemos mencionar a Tuxtepec y Loma Bonita en la región de Tuxtepec; Tehuantepec, Juchitán, Salina Cruz, Ixtepec y Matías Romero en el Istmo; Pochutla y Pinotepa Nacional en la Costa; Huajuapan y Tlaxiaco en la Mixteca.

La Ciudad más grande del estado es la de Oaxaca de Juárez, que tiene casi 400 mil habitantes, es la capital del estado y se encuentra localizada en la región de los Valles Centrales. A la población que vive en las ciudades se le considera urbana y la mayor parte de la gente trabaja en el comercio, el turismo y las industrias, mientras que pocos se dedican a la agricultura.

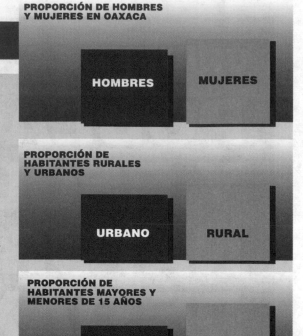

PROPORCIÓN DE HOMBRES Y MUJERES EN OAXACA

HOMBRES   MUJERES

PROPORCIÓN DE HABITANTES RURALES Y URBANOS

URBANO   RURAL

PROPORCIÓN DE HABITANTES MAYORES Y MENORES DE 15 AÑOS

MENORES DE 15 AÑOS   MAYORES DE 15 AÑOS

IDEAS PRINCIPALES

Oaxaca tiene muchos recursos naturales en sus tierras, bosques, minas y aguas.

La mayor parte de la gente en Oaxaca vive en pueblos pequeños.

ACTIVIDADES

1. Investiga con tus padres o con las autoridades cuántas personas viven en tu comunidad.

2. Dibuja en tu cuaderno un pueblo rural y una ciudad, resaltando algunas diferencias.

Recursos naturales y ocupaciones

Si hicieras un viaje por las distintas regiones de Oaxaca, podrías observar la gran cantidad de recursos naturales que existen en su territorio.

Bosques de Oaxaca.

Nuestro estado tiene diversos tipos de tierras y bosques; recursos minerales y una extensa costa. Muchos recursos son aprovechados por su población, pero otros no. Por ejemplo, los mares pueden ser aprovechados aún más, mientras que algunos bosques están sobrexplotados.

Con la madera del bosque se hacen mesas, sillas y otros muebles; de la minas y bancos de piedras se extrae oro, plata, plomo, cobre, zinc, grafito, cantera y mármol. En el mar y en las lagunas costeras se obtiene camarón y pescado.

De la tierra, los campesinos obtienen con su trabajo muchos productos. Los principales son el maíz y el frijol. Oaxaca ocupa el primer lugar en el país por su producción de mango y el tercero por la del café. Otros productos importantes son: caña de azúcar, limón, aguacate, piña, arroz, melón, sandía, maguey y tabaco.

Sin embargo, hay también lugares en Oaxaca donde no verás más que tierra improductiva, piedras y hierbas silvestres que no se pueden utilizar para nada. En esos lugares sus pobladores son muy pobres, pues no pueden obtener de la tierra suficientes productos alimenticios, ni materias para usarlas en otra actividad.

Al continuar tu viaje por el estado pasarías por diversas ciudades donde la gente tiene muy variadas ocupaciones. La cuidad de las Lagunas, en el Istmo, tiene una fábrica de cemento; Tuxtepec tiene una fábrica de cerveza y otra de papel; al llegar a Salina Cruz verías la refinería que produce gasolinas y un activo puerto marítimo; finalmente en la ciudad de Oaxaca, conocerás la fábrica de triplay y muchos comercios y negocios.

En el estado de Oaxaca hay también algunas otras fábricas medianas y pequeñas que se dedican a producir pastas alimenticias, jabones, plásticos, aceite de ricino y de limón, muebles, empaques de madera, mangos para herramientas y harina de pescado.

También existen embotelladoras de refrescos, ingenios azucareros, aserraderos, minas, despepitadoras de algodón y dos astilleros, uno para construir barcos y otro para repararlos; beneficios de café, una planta de productos de mármol, otra de redilas para camiones, algunas empacadoras de arroz, piña, pescado y mariscos.

Fábrica de triplay en la ciudad de Oaxaca.

En tu viaje encontrarías algunos lugares donde la gente gusta ir a descansar o a visitar y conocer sitios arqueológicos, edificios antiguos, museos y mercados. Mucha gente de toda la Republica y de otros países viene a conocer la ciudad de Oaxaca, a visitar los sitios arqueológicos y a descansar en las playas de Puerto Escondido y de Huatulco.

El turismo es muy importante para nuestro estado, ya que muchos oaxaqueños trabajan en hoteles, restaurantes y servicios de transporte que utilizan los turistas.

Día de mercado.

La agricultura es la actividad más importante de Oaxaca.

En algunas de las ciudades que mencionamos antes hay muchos comercios donde la gente puede comprar los artículos que necesita: alimentos, ropa, herramientas de trabajo y muebles entre muchas otras cosas. Las ciudades comerciales del estado son: Juchitán, Tlaxiaco, Tuxtepec, Pochutla y la ciudad de Oaxaca.

En Oaxaca, lo habrías visto en tu propia familia, los jóvenes y sobre todo las personas mayores tienen que trabajar para conseguir el alimento y las cosas necesarias para la vida diaria. Entre tus parientes tal vez haya algunos que trabajen la tierra, otros que vayan a la fábrica, algunos que vendan artículos a otras personas o que tengan algún empleo en una oficina pública.

En Oaxaca, la mayor parte de la gente se dedica a la agricultura. Pero también hay artesanos, obreros, artistas, comerciantes, oficinistas, maestros, choferes, médicos, abogados, técnicos, policías, trabajadores domésticos, burócratas, operadores de máquinas, pescadores y mineros, entre muchos otros oficios.

UNIDAD 5
LAS CULTURAS DE OAXACA

Niños triquis.

Grupos étnicos

Un jardín lleno de muchas plantas y flores, de variado colorido y diferentes aromas, es un lugar hermoso. Así es el mundo, así es la vida en la Tierra; hay tanta variedad de plantas y flores como en un jardín.

Afortunadamente el mundo es variado en cuanto al género humano que lo habita: existen diferencias entre los hombres por el color de su piel, por la estatura, por la forma de la cara, la lengua que hablan y la forma en que viven.

Así es la realidad de México y también la del estado de Oaxaca. Muy pobre sería un país —en el caso de que existiera— en el cual todos los hombres y las mujeres fueran iguales unos a otros. La belleza de la vida está en la diferencia y la variedad.

Existen 56 grupos étnicos en el país, cada uno de los cuales tiene su propia lengua y una manera diferente de vivir. En el territorio del estado de Oaxaca viven 16 grupos étnicos diferentes, hablantes de su propia lengua indígena, aunque la mayoría también habla español.

GRUPOS ÉTNICOS DE OAXACA

PUEBLA
NÁHUATL
CUICATECO
POPOLACA
VERACRUZ
IXCATECO
CHOCHO
MAZATECO
CHINANTECO
MIXTECO
MIXE
GUERRERO
TRIQUI
ZAPOTECO
ZOQUE
CHIAPAS
AMUZGO
CHATINO
HUAVE
CHONTAL
OCÉANO PACÍFICO
Norte
0 10 20 30 40 50 75 100
Kilómetros

Fuente: Ángeles Romero F.

El grupo mayoritario y dominante en la actualidad es el que habla la lengua española. Pero no siempre fue así: mucho antes de que llegaran los europeos a nuestro continente con su idioma, sus costumbres y su religión cristiana, vivían en América diferentes grupos humanos que tenían sus propias lenguas, costumbres y religiones.

Los miembros de los 16 grupos indígenas que viven en Oaxaca son descendientes de aquellos pobladores del área central de América. Los nombres con que se conoce actualmente a esos grupos no siempre son los que ellos se dan en sus respectivas lenguas. La mayoría de estos nombres les fueron impuestos por otras personas.

Por orden alfabético éstos son los nombres de los 16 grupos indígenas de Oaxaca, hemos colocado entre paréntesis el nombre que el grupo mismo se da en su lengua: amuzgo, cuicateco, chatino, chinanteco, chocho, chontal, huave (*ikoots)*, ixcateco, mazateco, mixe (*ayuuk)*, mixteco (*ñuu sabi)*, náhuatl, popolaca, triqui, zapoteco (*binnizá* o *benexon*) y zoque.

Oaxaca ocupa el primer lugar, entre todos los estados que forman la República Mexicana, en cuanto a la variedad de grupos étnicos que lo habitan, seguido del estado de Chiapas. Las lenguas indígenas con mayor número de hablantes en Oaxaca son el zapoteco y el mixteco.

Mujeres Zapotecas.

IDEAS PRINCIPALES

En el estado de Oaxaca hay variedad en los rasgos físicos, en las lenguas y en las culturas de sus habitantes.

En Oaxaca viven 16 grupos étnicos.

ACTIVIDADES

1. Si hablas alguna lengua indígena, pregunta a tus padres o a tus abuelos el nombre de tu grupo étnico.

2. Si hablas alguna lengua indígena ¿cómo escribirías las siguientes palabras en esa lengua?

Papá
Mamá
Agua
Sol
Tierra
Flor

En caso de no hablar ninguna lengua indígena, investiga cómo se escribirían esas palabras en alguna lengua indígena de las que se hablan en Oaxaca.

Tradiciones y costumbres

Las formas de vivir de la mayoría de los oaxaqueños son producto de una mezcla de culturas: indígenas, hispánica y afroamericana. Y cada oaxaqueño es libre de sentirse parte de estas raíces culturales, existentes en la actualidad en Oaxaca. Como en el jardín del que hablábamos al principio, cada quien puede escoger la flor cuyo olor más le guste.

Música de Oaxaca.

Como no podemos hablar de cada flor en detalle, sólo daremos un vistazo rápido a nuestro jardín humano; es decir, hablaremos en forma general de las tradiciones y costumbres de los oaxaqueños.

No es sencillo distinguir lo español de lo indígena en las costumbres y tradiciones de los pueblos de Oaxaca, porque durante muchos años los indígenas y los españoles vivieron aprendiendo unos de la forma de vivir de los otros. Los indígenas han aprendido y copiado mucho de las tradiciones españolas; y los españoles y sus descendientes se indianizaron en sus costumbres con el transcurso del tiempo.

Mujer yalalteca.

En las costumbres que los indígenas heredaron de sus abuelos hay varias formas de ayuda entre ellos para hacer las cosas en bien de la comunidad; por ejemplo la llamada *Guelaguetza* o costumbre de ayuda mutua.

Riqueza de la cultura oaxaqueña.

Esta costumbre, que en otras comunidades tiene otros nombres como "mano vuelta", quiere decir que si alguien tiene que gastar mucho dinero por una fiesta o por una desgracia "se le da la mano". Es decir se le ayuda con trabajo físico, con dinero o con algo para comer. Y esa persona que ha recibido la "mano" la tiene que devolver, cuando los que le dieron la "mano" estén necesitados de que se les ayude.

Esta *Guelaguetza* no se debe confundir con el conjunto de bailes organizados en la ciudad de Oaxaca, el lunes del cerro, en el mes de julio de cada año.

Lo que distingue, de una manera general, las costumbres indígenas de las costumbres que trajeron los españoles, es que en las comunidades indígenas se realizan trabajos colectivos para el beneficio de todo el pueblo, como el *tequio* que vimos en una lección anterior.

IDEAS PRINCIPALES

Muchas costumbres de españoles y negros se mezclaron con las tradiciones indígenas.

Una antigua herencia indígena es la diversidad de formas de ayuda comunal: la *Guelaguetza*, que también se conoce como "mano vuelta".

ACTIVIDAD

Participa con tus compañeros en una representación de algunas costumbres o tradiciones del lugar donde vives: una *guelaguetza*, el *tequio,* o las que sugiera el maestro.

Tequio para construir un camino.

Lenguas y dialectos

Las lenguas que más se hablan en Oaxaca, además del español, son el zapoteco, mixteco, mixe, chinanteco, mazateco y huave.

La riqueza de las palabras.

Tanto el español o castellano como las lenguas indígenas son idiomas. Esto quiere decir que están formados por un conjunto de sonidos que forman palabras, frases, oraciones y conjuntos de oraciones que sirven para que los seres humanos puedan comunicarse unos con otros.

Pero las lenguas no se hablan igual en todas partes. Cuando oímos, por ejemplo, a una persona hablando en español, si ponemos atención podemos notar en su manera de hablar de qué región del estado es: si es de la Costa, del Valle o del Istmo.

Labrado de cera.

También podemos notar si es una persona de la ciudad o una persona del campo. A estas diferentes maneras de hablar, según el lugar en donde viven las personas o según su ocupación, se les llama *dialectos*.

Por eso podemos decir que todas las lenguas o idiomas tienen dialectos, es decir, diferencias en el modo de hablar de las personas; pese a las diferencias, quienes hablan una misma lengua se entienden entre sí.

Muchas de las lenguas indígenas se distinguen por ser tonales, es decir, por usar tonos en la pronunciación de las palabras, lo que las hace agradables al oído.

Cada niño y niña de Oaxaca, son herederos de una gran cultura.

IDEAS PRINCIPALES

Oaxaca se distingue en nuestro país por la diversidad cultural, étnica y lingüística de sus habitantes.

En Oaxaca se hablan 16 lenguas indígenas además del español.

ACTIVIDAD

Completa en la siguiente figura los nombres de cuatro lenguas de Oaxaca.

C	H		N	T		

Z	A			E	C

V

M		X	

Diversidad cultural y étnica.

Vestido

Aparte de la gran riqueza en las lenguas habladas en Oaxaca, en nuestro estado hay también una enorme riqueza en la variedad de los vestidos indígenas, sobre todo en los de las mujeres.

Esta variedad de colores y formas en el vestir hacen de la reunión de estas personas, en los días festivos, una verdadera fiesta para la vista; así como la variedad de lenguas y tonos es una gran fiesta para quien aprecia los sonidos.

Los trajes actuales son también una herencia y una muestra de la rica cultura de Oaxaca. En medio de esta riqueza de colores y sonidos, persisten viejos problemas y carencias entre las comunidades indígenas.

Mujer de la Costa.

Pareja chinanteca.

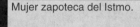

Mujer zapoteca del Istmo.

Chinantecos.

Zapotecos del Istmo.

IDEA PRINCIPAL

La riqueza de lenguas, vestidos y costumbres de los indígenas oaxaqueños contrasta con las carencias que todavía persisten en sus comunidades.

ACTIVIDAD

Dibuja y colorea en tu cuaderno el traje típico de las mujeres de tu comunidad o de tu región.

Producción artesanal

A pesar de las carencias, los indígenas de Oaxaca conservan una cultura muy rica heredada de sus antepasados.

En las páginas de este libro estudiaremos esta cultura y veremos su riqueza en los restos de las hermosas obras arquitectónicas que dejaron las antiguas culturas oaxaqueñas; veremos su esplendor en las construcciones coloniales en donde pusieron su fuerza de trabajo, sensibilidad e inteligencia; y también veremos esa rica tradición en las artesanías que producen actualmente.

Niña de la ciudad de Oaxaca.

Los colores de Oaxaca.

Los vestidos de los indígenas oaxaqueños son considerados artesanías porque se hacen a mano, al igual que los utensilios de barro, palma, madera, piel y otros materiales que los indígenas usan en su vida diaria. Por su belleza y utilidad estos objetos artesanales son muy apreciados.

Todo esto hace de Oaxaca un estado rico, que atrae personas de otros lugares.

Niño tejiendo.

Artesanías oaxaqueñas de barro.

IDEAS PRINCIPALES

Los indígenas de Oaxaca conservan una cultura muy rica heredada de sus antepasados.

ACTIVIDAD

Con barro, madera, carrizo, palma o cualquier otro material que puedas conseguir fácilmente realiza un trabajo manual, copiando alguna artesanía oaxaqueña.

SEGUNDA PARTE
HISTORIA

UNIDAD 6
VAMOS A ESCRIBIR TU HISTORIA

El salón de clase, habitación de la memoria y la imaginación.

¿Qué es la historia?

Muchas veces habrás oído a alguna persona mayor hablar de la historia de México o decir que tu familia tiene una historia particular. En esta lección vamos a comenzar el estudio de la historia de Oaxaca, pero antes tenemos que preguntarnos: ¿qué es la historia? Pues bien, historia es el estudio del pasado de un país o de un pueblo o de un grupo de personas.

¿Sabías que tú también tienes una historia?

Antes de estudiar la historia de Oaxaca, el estado donde vives, vamos a comenzar con un juego. Vamos a reconstruir tu historia y la de tus compañeros. ¿Qué edad tienes ahora? Has de tener ocho o nueve años de edad o quizás un poco más. ¿Te acuerdas cuando eras más pequeño? ¿Recuerdas qué hacías hace dos años, cuando tenías seis o siete años y estabas en primer grado?

Seguramente entonces te gustaban algunos juegos que ahora ya no te agradan. También usabas ropa que ahora ya no te queda. Además, tu mamá y la maestra tenían que cuidarte más que ahora. Actualmente puedes ir a la escuela o a la tienda sola o solo y quizás cuidas a tus hermanos más pequeños. ¿Te das cuenta cómo tu vida, a pesar de ser muy corta, ya muestra cambios importantes?

¿Dónde naciste? ¿Quiénes son tus padres y tus hermanos? Al contestar estas y otras preguntas iremos descubriendo qué aspectos de tu vida han cambiado y cuáles han permanecido sin modificarse. Conoceremos tu historia personal, tu biografía. Tus compañeros de salón tienen su propia biografía, puesto que su vida ha cambiado también en forma similar a la tuya.

JUAN EN DIFERENTES ÉPOCAS DE SU VIDA

8 AÑOS

2 AÑOS

6 MESES

Todos tenemos una historia

De este modo, tú y tu familia tienen historia, lo mismo el pueblo o la colonia en la que vives y, por supuesto, el estado de Oaxaca tiene historia.

La historia de un niño indígena de Oaxaca

La historia de los niños es muy valiosa. Vamos a platicar de un niño que nació en Oaxaca y que llegó a ser muy importante para la historia de la República Mexicana. Hace muchos años, en 1806, en Guelatao, un pueblo de la sierra de Oaxaca, nació Benito Juárez. Sus papás eran zapotecos.

El niño de Guelatao, por Rafael Muñoz L.

En la vida de Benito también hubo muchos cambios, algunos muy tristes. Sus papás murieron cuando él tenía apenas tres años. Vivió entonces con sus abuelos y después con un tío. Cuando tenía más o menos tu edad, ayudaba a su tío pastoreando ovejas. Como en Guelatao no había escuela, su tío le enseñó a leer y a escribir. Al cumplir 12 años un día decidió irse a la ciudad de Oaxaca.

Al llegar a la ciudad Benito entró a trabajar en la casa de un encuadernador de libros, quien lo ayudó para que siguiera estudiando. Benito Juárez enfrentó con valor los problemas y los cambios de su vida. En otras lecciones de este libro vas a conocer con más detalle la vida de Benito Juárez.

IDEAS PRINCIPALES

Historia es el estudio del pasado.

Tú y tu familia también tienen una historia.

La historia personal se conoce como biografía.

ACTIVIDAD

Escribe tu historia personal, desde que naciste hasta el día de hoy.

¿Sabes qué es un árbol genealógico?

En la lección anterior platicamos de tu historia. En ésta vamos a descubrir qué es un *árbol genealógico*. No, no se trata de un árbol común como los que crecen en el monte o en el parque. Se da el nombre de árbol genealógico a una representación de la historia de una familia.

El árbol genealógico nos va a ayudar a conocer a los miembros de tu familia. El dibujo de la derecha representa el árbol genealógico de Juan, un niño que vive en la ciudad de Oaxaca. Fíjate en el dibujo para que después puedas hacer tu propio árbol genealógico.

Observa el dibujo: en la parte superior encontrarás a Juan, quien tiene ocho años. Posiblemente tú tienes la misma edad. Él tiene una hermana mayor y un hermanito de tres años. En el centro verás al papá y a la mamá de Juan. Del lado derecho están dibujados los hermanos de la mamá de Juan y del lado izquierdo está el hermano de su papá. En la parte inferior están dibujados los abuelos maternos y paternos.

Su hermana mayor

Su hermano menor

JUAN

El hermano de papá

Los hermanos de mamá

Papá

Mamá

Abuelos paternos

Abuelos maternos

LA GENERACIÓN DE JUAN

LA GENERACIÓN DE LOS PAPÁS

LA GENERACIÓN DE LOS ABUELOS

Un árbol genealógico es una representación de la historia de una familia.

En el pasado de tu familia han ocurrido muchos cambios importantes.

¿Qué es una generación?

Juan y sus hermanos forman lo que se llama una generación. Los papás de Juan forman la segunda generación, los abuelos la tercera generación y los bisabuelos la cuarta generación. Así podríamos continuar dibujando generación tras generación de la familia de Juan, mientras quedara memoria de ellas. Como te darás cuenta, la historia de la familia de Juan tiene muchos, muchos años, y la de tu familia también.

LA LÍNEA DEL TIEMPO

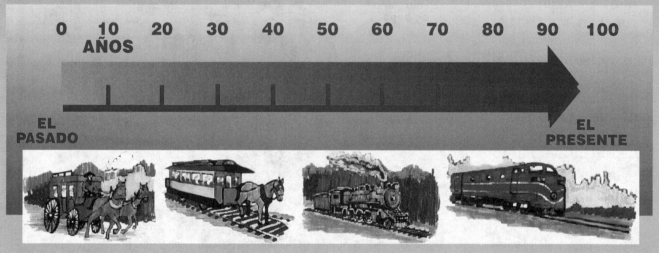

Los cambios en la historia de tu familia

¿Recuerdas que en la lección anterior vimos lo que ha ocurrido a lo largo de tu vida? En esta vamos a estudiar los principales cambios ocurridos en la historia de tu familia. Primero tienes que descubrir: ¿cuántos años han pasado desde que nacieron tu mamá y tu papá? Platica con ellos y pregúntales cómo era la vida cuando ellos eran niños y qué cosas piensan que han cambiado. Si aún viven tus abuelos pregúntales qué edad tienen y pídeles que te cuenten a qué jugaban cuando eran niños.

Si vives en la ciudad seguramente notarás muchos cambios entre lo que conoces y lo que te platican tus papás y tus abuelos. Los transportes, por ejemplo, son ahora muy diferentes de los que había hace 40 años.

Hoy en día en las ciudades usamos vehículos con motor. Hace años, para ir de un lugar a otro, la gente usaba caballos o iba caminando.

Si vives en el campo también han ocurrido cambios. Por ejemplo, antes no se usaban los tractores que ahora ayudan a cultivar la tierra.

Tu comunidad era probablemente más pequeña y la ropa que las personas usaban antes era diferente a la que usamos ahora. Reúne algunas fotografías o revistas viejas. Ellas te ayudarán a ver e imaginar los cambios que han ocurrido.

Los cambios se van acumulando unos sobre otros produciendo importantes transformaciones en la sociedad. ¿Te has dado cuenta? ¡Estamos estudiando el pasado de tu familia!, estamos reconstruyendo tu historia.

1. Dibuja tu árbol genealógico.
Primero debes observar el árbol genealógico de Juan. Trata de hacer uno igual para tu familia con dibujos que representen a tus hermanos, a tus papás y a tus abuelos.

2. Platica con tus papás, con tus tíos y con tus abuelos. Pídeles que te enseñen fotos y algunos objetos de cuando eran jóvenes. Compara los objetos viejos con los nuevos y escribe en tu cuaderno las diferencias que encuentres.

¿Conoces el pasado de tu comunidad?

Ya hablamos de tu historia y de la historia de tu familia, ahora vamos a conversar del lugar donde vives. No importa si la comunidad en la que vives es pequeña o grande, todos los pueblos y ciudades tienen una historia.

La sociedad está formada por familias

La sociedad en la que vivimos está formada por familias que cooperan entre sí para lograr que la vida sea menos difícil. Unas familias son pequeñas, sólo están formadas por el papá, la mamá y los hijos. También es frecuente que por diversas causas en una familia falte la mamá o el papá. Otras, en cambio, son muy grandes y se componen de muchos hermanos, primos, sobrinos y tíos. Todos tenemos una familia y el lugar donde vivimos está formado por familias.

En las localidades muy pequeñas la mayor parte de las familias se dedica a sembrar el campo, viven muy unidas y tienen muchas cosas en común, por eso forman una comunidad. Podemos decir que una comunidad es un grupo de personas que viven en un mismo lugar y que se ayudan unas a otras. En los pueblos muy pequeños todos se conocen.

En las ciudades, las familias viven en diferentes barrios y sus miembros tienen muy diversas ocupaciones. Hay ciudades tan grandes que no todos se conocen entre sí, pero tienen en común el lugar donde viven.

La gente de los pueblos y de las ciudades le toma cariño al lugar donde vive.

Familia oaxaqueña.

Los edificios nos hablan de épocas pasadas.

Todas las comunidades tienen una historia

Todos tenemos una historia. Habla con las personas mayores y pregúntales cuándo se construyeron los edificios importantes de tu comunidad. Anota lo que ellos te platiquen. Así estarás haciendo la historia de tu ciudad, del barrio o de la comunidad donde vives.

La historia de los edificios, por ejemplo, es sólo una parte de la historia de tu comunidad. Otros acontecimientos pasaron hace muchos años, cuando los abuelos de tus abuelos eran niños como tú, o hace más tiempo todavía. ¡Te das cuenta cuántos años han transcurrido! De algunas cosas ya ni los abuelos se acuerdan, entonces para conocerlas debemos usar los libros de historia.

IDEAS PRINCIPALES

Las ciudades y los pueblos, como las personas, tienen una historia.

La sociedad está formada por familias.

ACTIVIDAD

Con ayuda de tus familiares escribe en tu cuaderno una breve historia del lugar donde vives y coméntala en clase.

¿Sabes cómo se mide el tiempo?

¿Te has dado cuenta cómo ciertos hechos son recientes y otros pasaron hace mucho tiempo? Por ejemplo, tú naciste hace como ocho años, tu papá nació quizá hace 30 o más años y tus abuelos hace mucho más tiempo, posiblemente más de 50 años.

Puedes observar el paso del tiempo en las cosas que te rodean. El tiempo va produciendo cambios importantes. Pero, ¿cómo se mide el tiempo?

Vamos a medir el tiempo

Todas las personas, aunque tengan edades diferentes y costumbres distintas, miden el tiempo. En el campo la gente lo mide viendo la posición del Sol en el cielo. Cada día, por la posición del Sol sabe si es de mañana o si se acerca la noche. Con el paso de las **estaciones** sabe cuándo sembrar y cuándo cosechar. Todos acostumbramos dividir un año en 12 meses, un día en 24 horas y una hora la dividimos en 60 minutos. Si solamente midiéramos el tiempo en días, por ejemplo, sería muy complicado entenderse. Imagina que al hablar de tu edad tuvieras que decir que tienes 2920 días, en lugar de decir que tienes ocho años. En este caso, es más claro agrupar los días en años, ¿no te parece?

Si no tratáramos de agrupar a los años de algún modo nos confundiríamos fácilmente y no sabríamos qué pasó primero y qué pasó después.

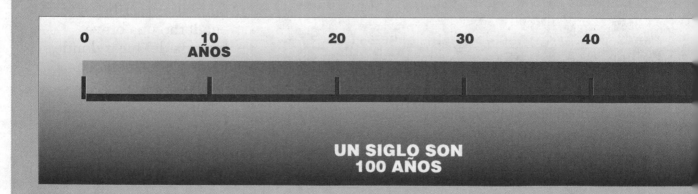

¿Qué es una década y qué es un siglo?

Al estudiar el pasado, una de las formas más útiles de medir el tiempo es agruparlo en periodos de 10 años, o décadas. Entonces podemos decir que la escuela del pueblo fue construida hace tres décadas, o sea hace 30 años. Y tú dentro de pocos años vas a cumplir una década de edad, claro ¡10 años!

Cuando se juntan 100 años hablamos de un siglo. Un siglo es igual a 100 años, dos siglos son 200 años y así sucesivamente. Muy pocas personas pueden llegar a vivir un siglo, ¡100 años!

Los periodos o épocas

Aparte de dividir el tiempo en décadas y en siglos, también acostumbramos dividirlo en grupos de años con características comunes. Es decir, grupos de años en los que han sucedido cosas parecidas. A estos grupos los llamamos periodos o épocas.

Un periodo está separado de otros periodos por algún acontecimiento muy importante que ha transformado la vida de las personas. Piensa en tu propia vida: podemos dividirla en dos periodos. El primero cuando todavía no ibas a la escuela y el segundo a partir de que empezaste a asistir a la escuela. ¿Ves cómo tu vida se ha dividido en dos periodos o épocas? Una *antes* y otra *después* de cuando empezaste a ir a la escuela. Para ti, un acontecimiento fue tu primer día de clases.

ACTIVIDAD

Realiza un experimento para que observes cómo pasa y cómo se mide el tiempo. Lleva a tu salón de clases semillas de frijol y colócalas en un algodón húmedo. Con el paso de los días irás viendo cómo **germina** el frijol. Lleva la cuenta de los días que transcurren hasta que tengas una pequeña planta.

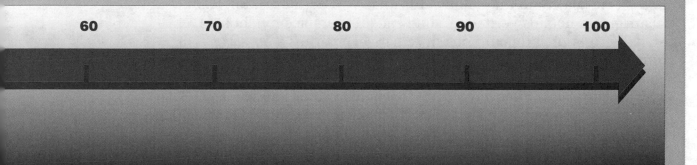

60   70   80   90   100

Las cosas y la vida cambian con el tiempo

En las páginas anteriores hablamos de lo que es una década, un siglo y un periodo. En las lecciones que siguen estudiaremos los principales periodos de la historia de México y particularmente de la historia de Oaxaca. Prepárate para iniciar un viaje a través de los años, un viaje que te conducirá al pasado.

¿Cómo realizaremos ese viaje que nos llevará tan lejos? Primero necesitas usar tu imaginación. Esto no quiere decir que la historia sea como un cuento fantástico. No, por el contrario, la historia son hechos verdaderos que sucedieron hace muchos años. Pero la imaginación nos sirve para acercarnos a épocas remotas.

Para hacer este viaje a través de los siglos vamos a usar los transportes propios de cada época. Comenzaremos subiéndonos a un carro.

¿Estás listo para iniciar tu viaje al pasado a toda velocidad? Arranquemos, a tu lado van pasando los años y por la ventanilla puedes ver lo que en cada uno de ellos sucede. Pero, ¡qué pasa! Tu coche nuevo se ha transformado en un auto de modelo antiguo que avanza lentamente por un camino de tierra. ¡Estamos en el año de 1920!

¿Te das cuenta?, al realizar este viaje al pasado tu carro cambió igual que todo lo que le rodea. Continuemos con el recorrido. Seguimos avanzando por este polvoso camino y... ¡otro cambio! Ahora te encuentras montado sobre un caballo.

¿Qué le sucedió a tu coche? Pues como has retrocedido en el tiempo, has llegado a la época en la que no hay coches ni camiones de motor, ni ferrocarriles y la gente tiene que viajar en caballo o en carretas.

Si en verdad pudiéramos retroceder en el tiempo y ver cómo vivían las personas en el pasado, notarías como todo era muy diferente a lo que conoces hoy en día. Las casas eran distintas, los vestidos que las personas usaban eran de otro tipo, lo que la gente producía y la forma como lo producía era diferente. Algunas cosas eran tan distintas al presente que es muy difícil imaginarlas.

Aunque no podemos viajar al pasado en un carro, sí podemos conocerlo a través de las páginas de tu libro de historia. ¡Estás listo para empezar un viaje a través del tiempo!

IDEAS PRINCIPALES

Todas las cosas cambian con el tiempo.

La historia es como un viaje al pasado.

UNIDAD 7
LA HISTORIA PREHISPÁNICA DE OAXACA

Lápida
zapoteca.

Los primeros pobladores

40 000
años a.C.

INICIO DE
NUESTRA
ERA

2002
d.C.

Hacía mucho frío
en nuestro planeta,
cuando los hombres
y las mujeres que
vivían en el norte
de Asia, aprovecharon el puente hecho por el mar congelado
para atravesar el **estrecho** de Bering. Fueron los primeros seres
humanos que llegaron a América, donde antes sólo había plantas
y animales. Este poblamiento comenzó hace 40 mil años.

POBLAMIENTO DE AMÉRICA

Aquellos primeros americanos, buscando lugares menos fríos donde fuera más fácil conseguir comida, vestido y techo, avanzaron hacia el sur del continente.

Puntas de flecha.

Llegaron a Oaxaca

Los primeros hombres y mujeres que llegaron al territorio que hoy ocupa el estado de Oaxaca descendían de los que partieron del norte del Continente Asiático huyendo del frío. Esto sucedió hace 11 mil 500 años. De esta remota época los **arqueólogos** han encontrado en el Valle de Tlacolula puntas de lanza o flechas de piedra, parecidas a las que más al norte usaban en esos tiempos los cazadores de mamut.

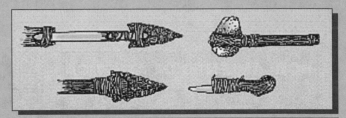

Armas para cazar.

Siete mil años antes de Cristo empezó a dejar de hacer frío en la Tierra, dando paso a un clima parecido al actual. Para sobrevivir en épocas de lluvia, aquellos hombres, con sus mujeres y niños, se refugiaban en pequeñas cuevas. Cerca de Mitla se han encontrado algunos de estos primitivos hogares en los costados de los cerros.

Mamut.

Cazadores y recolectores

Estos primeros pobladores de Oaxaca eran cazadores de diversos animales y recolectores de los frutos que daba la vegetación silvestre. En esa época los hombres todavía no cultivaban la tierra, sino que hacían recorridos diarios para buscar su alimento: eran **nómadas**. Algunas de las plantas silvestres que se recolectaban antiguamente todavía existen en el Valle de Oaxaca y siguen siendo aprovechadas por los campesinos: el mezquite, el huamúchil, el guaje y diferentes tipos de tunas.

Con la experiencia que adquirieron durante generaciones al recolectar productos de la vegetación silvestre de una misma región, aquellos antiguos pobladores descubrieron la agricultura y se volvieron sabios en el cultivo de algunas plantas: maíz, calabaza, frijol y chile.

Durante miles de años los hombres aprendieron a cultivar la tierra y a guardar una parte para tener semillas que sembrar en el siguiente periodo de lluvias y para tener que comer en tiempos de escasez.

La agricultura en el códice florentino.

ACTIVIDADES

1. Con ayuda de tus familiares escribe en tu cuaderno una lista de las plantas silvestres que se siguen aprovechando en tu región.

2. Lleva al salón algunas semillas de maíz, frijol o algunas otras que se cultiven en tu pueblo o en los alrededores de tu ciudad, y platica cuándo se siembran, cómo se cosechan y quiénes las consumen.

Las primeras aldeas

Vida sedentaria

Una vez que supieron guardar los alimentos que les sobraban —para las temporadas malas—, aquellos primeros hombres y mujeres empezaron a construir sus chozas en un lugar fijo y dejaron de caminar de un lugar a otro cazando y recolectando frutos, se volvieron **sedentarios** y **domesticaron** algunos animales, entre ellos a los guajolotes.

En Fábrica San José, en el Valle de Oaxaca, los arqueólogos estudian la manera en que vivían los habitantes de esa antigua aldea.

Fue entonces que aquellos hombres comenzaron a agruparse para formar pequeñas aldeas de pocas familias a la orilla de los ríos y lagunas, porque en estos lugares tenían agua suficiente para beber y para regar sus cultivos de maíz, frijol, calabaza y chile. Además pescaban y cazaban aves acuáticas.

OAXACA • ETAPA DE LAS ALDEAS

1. MIXTECA BAJA: Santa Teresa, El Guayabo
2. MIXTECA ALTA: Etlatongo, Yucuita
3. VALLE DE OAXACA: Abasolo, Fábrica San José, Hacienda Blanca, Huitzo, Mitla, San José Mogote, Sta. Ma. Chichihualtepec, Tierras Largas, Tomaltepec
4. CAÑADA: Hacienda Tecomaxtlahuaca, Llano Perdido, Rancho Dolores Ortiz
5. CHINANTLA: Ayotzintepec
6. ISTMO: Laguna Zapote
7. COSTA O RÍO VERDE INFERIOR: Charco Redondo, Río Viejo

Etapa de las aldeas

En la remota época de las primeras aldeas, los pobladores de los Valles Centrales de Oaxaca se agruparon en cerca de 30 sitios: desde Huitzo en el rumbo de Etla hasta Mitla por el lado de Tlacolula, y en el sur hasta Ejutla. Pero la más importante de estas aldeas estuvo en el lugar que hoy conocemos como San José Mogote, en el Valle de Etla.

En este dibujo podemos ver dos tipos de aldeas.

En el Istmo existieron aldeas al sur y al sureste del actual Juchitán, por ejemplo, a la orilla de la laguna *Biahuidó*.

Otros lugares que se poblaron durante esta época fueron Etlatongo, en el valle de Nochixtlán; también el sitio llamado Santa Teresa, en Huajuapan de León, ambas en la Mixteca. En la región de la Cañada se han encontrado vestigios de aldeas en el lugar llamado Hacienda de Tecomaxtlahuaca. También habitaron en un lugar de la Chinantla llamado Ayotzintepec.

Figurillas femeninas de la etapa de las aldeas.

Los hombres y las mujeres que llegaron a los Valles Centrales de Oaxaca hablaban la misma lengua, porque tenían contacto **permanente** entre ellos. Pero cuando empezaron a domesticar plantas y animales, a establecerse en aldeas a la orilla de ríos y lagunas, aquellos grupos de hombres se separaron y se diferenciaron entre sí.

Al separarse se formarían, después de cientos de años, la mayoría de las lenguas indígenas que se hablan en Oaxaca.

La importancia de los comerciantes

Ante la necesidad de intercambiar los productos de una aldea con los que producían otras, surgieron los comerciantes.

Excavación arqueológica en Etlatongo.

Los productos de los Valles, por ejemplo, eran llevados a las regiones costeras del sur del Istmo y mediante trueque los comerciantes llevaban productos de la Costa a las regiones altas.

Religión y dioses indígenas

Los comerciantes no sólo cargaban objetos materiales en sus espaldas de un lado para otro. Llevaban las mismas ideas de región en región. Por ello, en esos tiempos, los aldeanos de todas las regiones tuvieron una religión común.

Figurilla femenina de la etapa de las aldeas.

Con esta religión trataban de asegurar buenas cosechas, pues creían que de los dioses dependía la fertilidad de la tierra. Buscando la ayuda de los dioses, en su honor construyeron templos donde les rendían culto.

Pequeños ídolos —que encontramos en las milpas o a la orilla de los ríos— representan a sus dioses en esta etapa de la historia.

Mesoamérica

Así como en la zona de los Valles Centrales surgieron las primeras aldeas, en el centro y sur de México y en parte de Centroamérica se formaron aldeas y nacieron distintas culturas. A esta gran zona cultural se le conoce como *Mesoamérica*.

IDEAS PRINCIPALES

Los hombres aprendieron a cultivar la tierra y construyeron sus chozas a la orilla de los ríos y las lagunas.

La lengua común que hablaban se transformó y nacieron las actuales lenguas indígenas.

La religión mesoamericana descansaba en mitos sobre la fertilidad de la tierra, la vida y la muerte.

En Mesoamérica se desarrollaron las culturas olmeca, maya, teotihuacana, tolteca, zapoteca, mixteca y mexica, entre las más importantes.

MESOAMÉRICA

GOLFO DE MÉXICO

OAXACA

OCÉANO PACÍFICO

En *Mesoamérica*, las culturas *olmeca*, la *maya*, la *teotihuacana*, la *tolteca* y la *mexica* compartieron con las culturas de Oaxaca rasgos comunes: religión, agricultura, organización, calendarios y escritura.

A los aldeanos de los Valles Centrales de Oaxaca se les puede considerar como los antepasados de los zapotecos. Mientras que a los que habitaron en la Mixteca se les puede identificar como los antecesores de los *ñuu-sabi* o mixtecos.

ACTIVIDAD

Haz una maqueta de una aldea como las que aparecen en esta lección.

69

Los centros urbanos del Oaxaca antiguo

La primera ciudad

Lápida zapoteca.

Los zapotecos abandonaron San José Mogote, la aldea más grande en el Valle de Etla, para iniciar la construcción de una de las primeras ciudades de este continente: Monte Albán. Un gran centro ceremonial alrededor del cual vivían los sacerdotes, gobernantes, agricultores, artesanos y comerciantes. Esto sucedió hacia el año 500 antes de Cristo.

En los cerros cercanos a Monte Albán los zapotecos tenían leña, arcilla para la cerámica, piedras para la construcción de los templos y tierras fértiles.

OAXACA • ETAPA DE LOS CENTROS URBANOS

1. TEQUISTEPEC
2. CERRO DE LAS MINAS
3. DIQUIYÚ
4. HUAMELULPAN
5. ELOXOCHIXTLÁN
6. HUAUHTLA
7. QUIOTEPEC
8. TEPEUSILA
9. YUCUÑUDAHUI
10. YUCUITA
11. MONTE NEGRO
12. CERRO DE LA CAMPANA
13. YUCUINI
14. MONTE ALBÁN
15. IXTEPEJI
16. DAINZU
17. LAMBITYECO
18. JALIETZA
19. SAN JUAN LUVINA
20. ATEPEC
21. AYOTZINTEPEC
22. RÍO MANSO
23. JUQUILA MIXES
24. LA LADRILLERA
25. EL GUEXE
26. NOPALA
27. RÍO GRANDE
28. RÍO VIEJO

Urnas zapotecas.

Escritura y calendario en Oaxaca

Entre 500 años antes de Cristo y 750 después de la era cristiana se desarrollaría Monte Albán que llegó a tener alrededor de 30 mil habitantes en su época de esplendor. En este periodo se inventa la escritura y el calendario zapotecos, de los más antiguos en América.

La escritura zapoteca usaba **glifos** y otros **símbolos** grabados en monumentos de piedra y pintados en los edificios y en las tumbas. Así escribieron acerca de la vida de sus gobernantes y sacerdotes; acerca de sus ceremonias y fiestas religiosas.

La sociedad zapoteca estaba dividida de la siguiente manera: en la parte alta estaban los *goqui* o señores, después seguían los *xuaana'* o principales y abajo se encontraban los *binniquidxi*, es decir, campesinos y artesanos.

Monte Albán, tumba tres.

Panorámica de la gran plaza de Monte Albán.

Ciudades contemporáneas de Monte Albán

Otras ciudades en esta época fueron Yucuita, Huamelulpan, Monte Negro, Yucuñudahui, Diquiyú y Cerro de las Minas en la Mixteca. En la región de la Cañada fueron ocupados los lugares hoy llamados Quiotepec y Tepeuxila.

En el Istmo los habitantes de la laguna *Biahuidó'* se pasaron al sur del río Los Perros, a la Ladrillera conocida actualmente como *Cheguiigu' guete* o Barrio Saltillo.

En la sierra mazateca fueron habitados lugares como Huautla, Eloxochitlán y Tenango. En la parte alta de la Chinantla fue habitada San Juan Luvina, en la parte baja de Ayotzintepec.

ACTIVIDAD

Investiga si en el lugar donde vives existen sitios arqueológicos. De existir un sitio cercano, realiza con tu maestro y tus compañeros una visita.

IDEAS PRINCIPALES

Los zapotecos abandonaron San José Mogote para fundar la ciudad de Monte Albán.

Los sabios zapotecos inventaron la escritura y el calendario prehispánico más viejo en América.

Monte Albán fue una de las ciudades más grandes y hermosas de Mesoamérica.

Los reinos o señoríos

Monte Albán es abandonada

Hacia 750 años después de nuestra era se abandonaron las ciudades como Monte Albán. ¿Por que sucedió esto? Quizá por el **agotamiento** de los recursos naturales cercanos, por la escasez de agua por varios años de sequía, por **epidemias** o por ataques frecuentes de otros pueblos.

Cerámica de la Chinantla.

Después del abandono de las ciudades aparecen los señoríos, pueblos pequeños agrupados a un pueblo mayor. Por ejemplo: Zaachila, Mitla y Yagul en los Valles Centrales; Guiengola, en el sur del Istmo y Tututepec en la región de la Costa. Los señoríos eran gobernados por un señor o rey. En Oaxaca llegaron a tener más de un millón de habitantes.

Entre los zapotecos y los mixtecos hubo **alianzas** matrimoniales; la nobleza y los campesinos mixtecos emigraron a los Valles.

OAXACA • ETAPA DE LOS SEÑORÍOS

PUEBLA

Norte

VERACRUZ

GUERRERO

0 10 20 30 40 50   75   100
Kilómetros

OCÉANO PACÍFICO

1. MITLA
2. YAGUL
3. ZAACHILA
4. MOGOTES DE BARTOLÁN, XOXOCOTLÁN
5. TLAXIACO
6. ACHIUTLA
7. YANHUITLÁN
8. CHACHOAPAN
9. TILANTONGO
10. JALTEPEC
11. TONALÁ
12. CERRO DEL SOMBRERITO, HUAJUAPAN
13. CERRO HIDALGO, TEOTITLÁN
14. TECOMAVACA
15. PUEBLO VIEJO O IGLESIA VIEJA, CUICATLÁN
16. HUAUHTLA
17. SAN JOSÉ TENANGO
18. TUXTEPEC
19. AYOTZINTEPEC
20. TUTUTEPEC
21. PUERTO ESCONDIDO
22. HUATULCO
23. GUIENGOLA
24. CERRO PADRE LÓPEZ

Panorámica de Mitla.

Fue por estas alianzas que los mixtecos fundaron poblados en el Valle de Oaxaca, como Cuilapan y Xoxocotlán, así como algunos barrios de Zaachila.

Los escribanos y artistas mixtecos pintaron en esta última época los hermosos **códices** que cuentan historias de la región.

En dos tumbas encontradas en Zaachila y en la tumba siete de Monte Albán hay hermosísimos objetos de estilo mixteco, muy apreciados entre los gobernantes y sacerdotes zapotecos.

Las ofrendas en esos entierros indican que los muertos pertenecían a las clases gobernantes.

Códice Baranda.

IDEAS PRINCIPALES

Las grandes ciudades fueron abandonadas y la gente se fue a vivir a pueblos pequeños formando señoríos.

Los habitantes de los pueblos pequeños obedecían a los gobernantes del señorío.

Los mixtecos llegaron al Valle de Oaxaca mediante alianzas con los zapotecos.

ACTIVIDAD

Reproduce en barro, plastilina o migajón, una figurilla como la que aparece en la página 68 de este libro.

IDEA PRINCIPAL

En la época de los señoríos llegaron a Oaxaca pueblos de lengua náhuatl, chontal y huave.

Lenguas en la época de los señoríos

Al principio de la etapa de los señoríos se hablaban varias lenguas. A esas lenguas se unieron otras con el paso del tiempo.

En la región del Istmo surgieron el mixe y el zoque. Distintos grupos fueron poblando lugares de lo que ahora es Oaxaca provenientes de distintas partes.

Los nahuas penetraron por el noreste. Los chontales por el norte. Y los huaves por alguna parte del sur del continente a los alrededores de las lagunas Superior e Inferior.

Así, a las lenguas que ya se hablaban se unieron el mixe, el zoque, el náhuatl, el chontal y el huave.

Todas esas lenguas son ahora parte de nuestra riqueza, herencia de muchísimos años.

Códice Florentino.

ACTIVIDAD

En este mapa ilumina de distintos colores las regiones ocupadas actualmente por los grupos étnicos náhuatl, chontal y huave. Para hacerlo recuerda la lección 15 sobre los grupos étnicos.

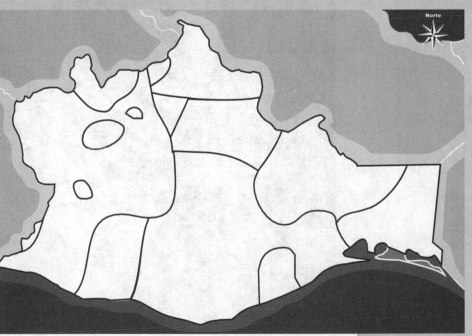

Norte

75

UNIDAD 8

EL SEÑORÍO MEXICA Y LA CONQUISTA

Xochipilli, diosa mexica.

El Señorío Mexica

1325
FUNDACIÓN
DE
TENOCHTITLAN

1492
COLÓN
LLEGA A
AMÉRICA

1521
CONQUISTA
DE
TENOCHTITLAN

SEÑORÍO MEXICA

La antigua ciudad de México

El año de 1325 los mexicas o aztecas fundaron en medio de un lago la ciudad más grande y poderosa de aquellos días: México-Tenochtitlan. Construyeron grandes templos y palacios decorados con pinturas muy bellas. También llegaría a ser famosa por su gran mercado, en el que se vendían productos de regiones lejanas. Su importancia en las ciencias y las artes fue mayor, e influiría en toda Mesoamérica.

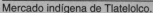
Mercado indígena de Tlatelolco.

La sociedad mexica

La sociedad mexica estaba gobernada por un *tlatoani*, ayudado por un gran número de mercaderes, recaudadores de tributo, jueces, sacerdotes y guerreros. Muchos pueblos y señoríos pagaban **tributo** a los poderosos mexicas. El tributo comprendía mercancías valiosas como el oro, mantas de algodón y hermosas plumas, pero también maíz y frijol. Si algún pueblo se negaba a pagarlo, los mexicas enviaban a su ejército. Por todo eso los comerciantes y guerreros mexicas eran temidos por otros señoríos indígenas.

La sociedad mexica fue una sociedad guerrera. Su dios principal era el Sol, *Tonatiuh*, a quien debían ofrendar con sangre humana. Con regularidad realizaban guerras para obtener prisioneros a los cuales sacrificar a su dios el Sol.

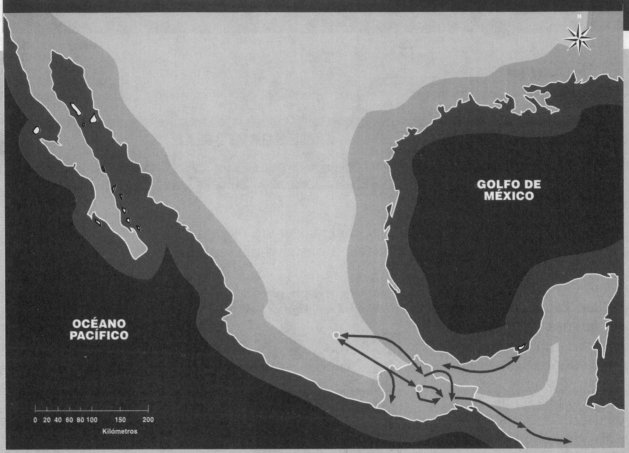

GOLFO DE MÉXICO

OCÉANO PACÍFICO

0 20 40 60 80 100   150   200
Kilómetros

Otros dioses importantes para los mexicas fueron *Quetzalcóatl*, serpiente emplumada, que regía sobre el viento y era el protector de los sacerdotes; *Tláloc*, dios del agua, y *Tlaltecuhtli*, dios de la tierra.

La mayor parte de los mexicas eran agricultores y artesanos, que vivían en comunidades llamadas *calpulli*. Los artesanos que trabajaban plumas y los mercaderes tenían privilegios mayores que quienes vivían en el calpulli. Los gobernantes pertenecían a la nobleza, quienes gozaban de la grandeza del Imperio.

El dominio de los mexicas en Oaxaca

Los mexicas conquistaron diversos señoríos indígenas de Oaxaca. Los reinos mixtecos fueron vencidos por los mexicas y obligados a pagar tributo. Tenían que llevar a la Ciudad de México-Tenochtitlan mantas de algodón bordadas de colores, jícaras llenas de polvo de oro, trajes para guerreros adornados con plumas y cuentas para collares hechas de piedras preciosas de color verde.

Escenas de guerra.
Códice florentino.

Además de los reinos mixtecos, también los del Valle de Oaxaca y los de Tuxtepec tenían que dar tributo a los mexicas. Los de Tuxtepec tenían que pagar cuentas de oro y muchos manojos de plumas. ¡Imagínate, tenían que dar más de dos mil manojos de plumas azules, amarillas y rojas!

Penacho de plumas preciosas.

Los mercaderes mexicas también cruzaban los caminos de Oaxaca de paso hacia las costas y, más al Sureste, hacia Guatemala. En esas tierras obtenían cacao y las plumas que tanto les gustaban para adornar sus trajes.

Comerciantes y guerreros mexicas en Oaxaca

Vamos a describir la vida de los comerciantes y sus relaciones con uno de los reinos de Oaxaca. Imagina que estamos en el reino indígena de Coixtlahuaca y es el día de mercado: hay puestos por todos lados y en ellos se ven maíz, frijol, jícaras pintadas, ropa fina de algodón, *grana*, joyas de oro, hilos de colores tejidos con pelo de conejo y muchas cosas más.

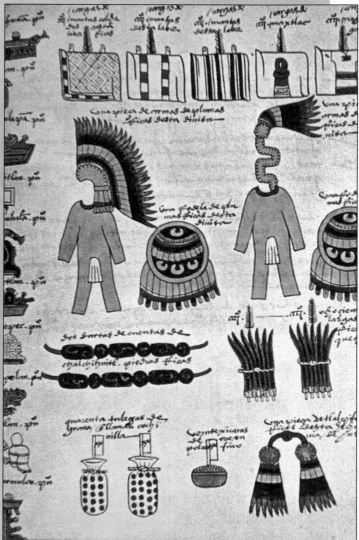

Matrícula de Tributos.

Los mercaderes mexicas han ido a realizar sus intercambios. Al terminar el día el gobernante dc Coixtlahuaca, temeroso de los mexicas, ordena que los maten. Días después, la noticia de aquellas muertes llega a oídos de Moctezuma el Viejo, el gran señor mexica. Moctezuma ordena a su ejército marchar sobre Coixtlahuaca. Los guerreros mexicas se preparan para la guerra: llevan sus trajes adornados de plumas de colores, sus escudos y sus lanzas. Después de varios días de cansada caminata llegan a Coixtlahuaca. ¡Comienza la guerra! Los mexicas entran a la ciudad y la destruyen.

México-Tenochtitlan era la ciudad más rica y poderosa.

La riqueza de la ciudad de México-Tenochtitlan se debía al comercio y al tributo.

Los mexicas hicieron prisioneros a algunos habitantes de Coixtlahuaca, los llevaron a la Ciudad de México y los sacrificaron ante sus dioses. Después de aquella derrota, la gente de Coixtlahuaca quedó obligada a pagar tributo a los mexicas. Tenían que darles mantas de algodón, sal y colores para pintar.

Pero no todos los pueblos de Oaxaca fueron derrotados por los ejércitos mexicas. Los mixtecos de Tututepec, los mixes y los zapotecos de la sierra lograron resistir. Los zapotecos de Tehuantepec, por ejemplo, decidieron dejar de pagar tributo a los mexicas. Aliados con los mixtecos del Valle enfrentaron a sus enemigos. Reunieron alimentos, armas para la guerra y en un cerro construyeron murallas para defenderse. Ahí esperaron al ejército mexica. Éste llegó y los rodeó: lucharon durante siete meses, pero al final los zapotecos y los mixtecos salieron victoriosos.

ACTIVIDAD

Ésta es una página de la Matrícula de Tributos, en ella los mexicas pintaron los tributos que tenía que pagarles la gente de la Mixteca. ¡Vamos a descubrir en qué consistía el tributo que pagaban a los mexicas!

En el dibujo ilumina:
• Los trajes de guerrero con sus plumas.
• Las plumas preciosas.
• Las mantas.
• Los collares de cuentas.

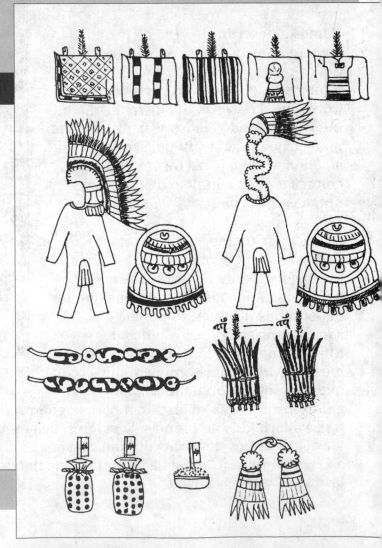

El descubrimiento de América: 1492

Cristóbal Colón y América

Hace 500 años los habitantes de los reinos indígenas no imaginaban que todo lo que ellos conocían cambiaría totalmente. Los poderosos mexicas no sabían que su ciudad sería destruida. Los señoríos indígenas de Oaxaca tampoco podían pensar que el fin de su sociedad se acercaba.

Muy lejos de sus reinos se preparaba un viaje que cambiaría no sólo su vida, sino también la del mundo entero. En aquellos años, los reyes de España querían aumentar su poder comerciando con pueblos muy distantes. Era muy peligroso ir por tierra y los marineros no se atrevían a cruzar el mar porque creían que estaba habitado por enormes monstruos.

Cristóbal Colón.

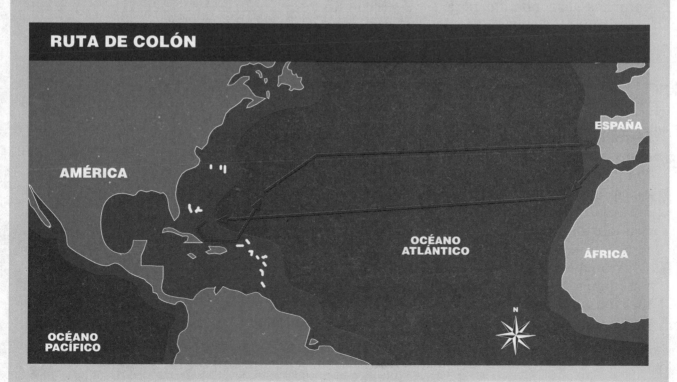

RUTA DE COLÓN

ESPAÑA

AMÉRICA

OCÉANO ATLÁNTICO

ÁFRICA

OCÉANO PACÍFICO

N

La mayoría de los marineros se limitaba a navegar siguiendo la línea de la costa. Pero un marinero, llamado Cristóbal Colón, más audaz que sus compañeros, pensó que era posible llegar a las Indias navegando siempre hacia el Oeste.

El viaje que realizó Cristóbal Colón

Colón y sus hombres salieron de España en tres carabelas el tres de agosto de 1492. Las carabelas eran barcos construidos de madera, movidos por la fuerza del viento que chocaba contra sus velas. Colón no pudo llegar a las Indias porque se encontró en su camino con tierras hasta entonces desconocidas para los europeos: Colón llegó a lo que hoy conocemos como América, el 12 de octubre del año 1492.

Las carabelas de Colón cruzan el Océano Atlántico.

Otros viajeros llegan a América

Después del primer viaje de Colón, otros viajeros comenzaron a cruzar el océano. Numerosos grupos de hombres en busca de riqueza y aventuras se arriesgaron por el mar. En su mayoría eran hombres que deseaban enriquecerse rápidamente buscando oro en América. Primero se establecieron en las islas del Caribe y ahí vivieron alrededor de 25 años. Los españoles que llegaron a las islas fueron muy crueles con sus habitantes, los hicieron esclavos y les quitaron el oro que tenían. Muchos habitantes de las islas murieron a causa de los abusos y de las enfermedades que trajeron los españoles.

IDEAS PRINCIPALES

Cristóbal Colón llegó en 1492 a tierras de lo que hoy conocemos como América.

En 1519 Hernán Cortés desembarcó en las costas de México.

Durante esos años, los españoles que vivían en las islas del Caribe continuaron efectuando viajes de exploración. En 1519 Hernán Cortés desembarcó con sus hombres en las costas de México. Entonces comenzó la conquista de los antiguos reinos indígenas.

ACTIVIDADES

En el mapa:

1. Localiza México.
2. Localiza España.
3. Traza la ruta que siguió Colón en 1492.

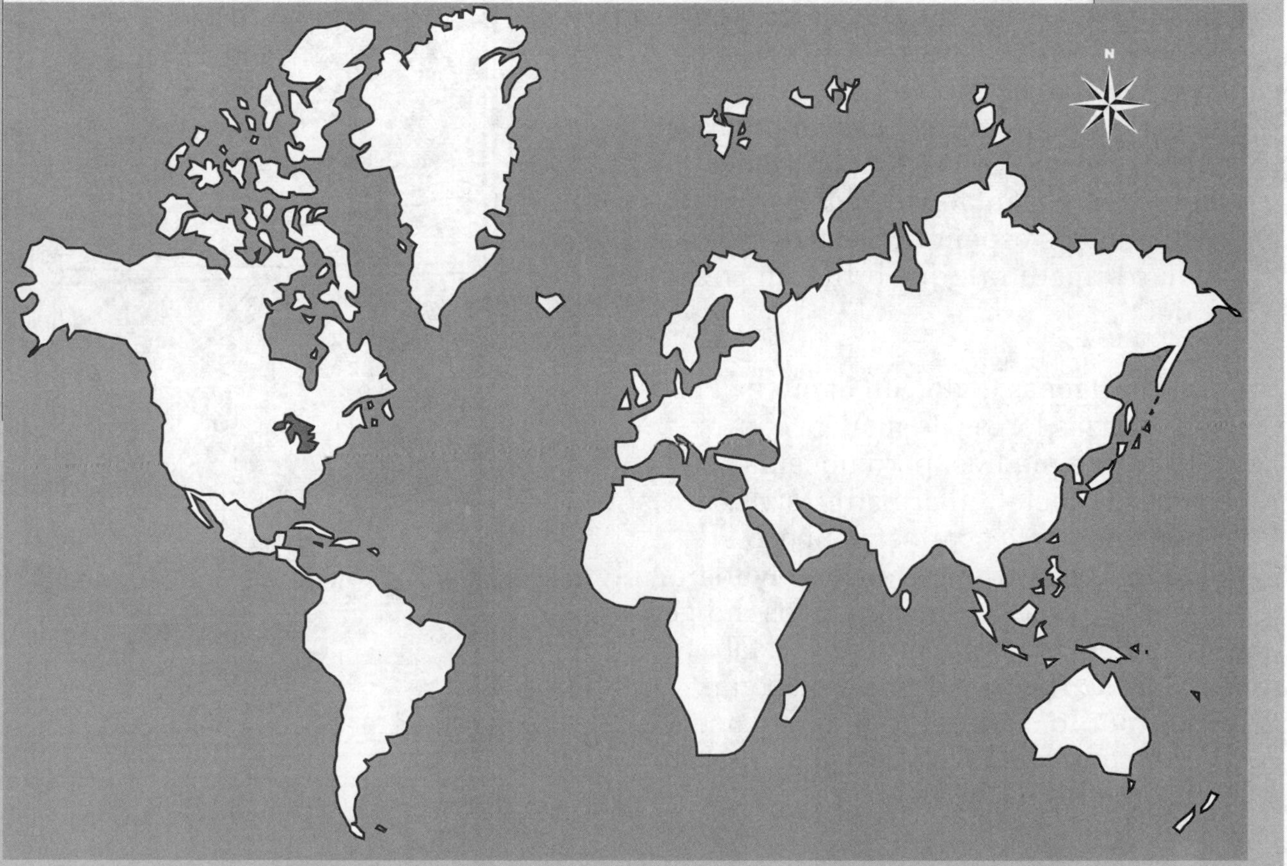

La Conquista de Oaxaca: 1519-1521

1325 FUNDACIÓN DE TENOCHTITLAN	1519 CONQUISTA DE MÉXICO
ÉPOCA PREHISPÁNICA	ÉPOCA COLONIAL

Llegada de los españoles a las costas de México

La llegada de Hernán Cortés a las costas de México causó enorme sorpresa a los habitantes de estas tierras. Nunca antes habían visto aquel tipo de barcos, pensaron que eran casas flotantes. La sorpresa fue mayor cuando los indígenas pudieron ver que los recién llegados bajaban caballos y cañones de sus barcos. Los indígenas escucharon espantados los disparos y vieron que los españoles vestían trajes de metal, o armaduras, que brillaban con la luz del Sol.

Los indígenas conocían el oro y el cobre, tenían lanzas largas de madera con cuchillas de piedras, pero no tenían espadas de metal, ni armaduras, ni barcos; no conocían los caballos, tampoco la pólvora. Todas esas novedades ayudaron al español. Todo era nuevo para los indígenas y su manera de explicar lo que estaba sucediendo fue la de pensar que eran dioses, por lo cual trataron de ganarse sus favores con regalos, lo que alimentó la codicia de los españoles.

Navíos españoles. Códice florentino.

La destrucción de México-Tenochtitlan

Los españoles supieron de la riqueza y poder de México-Tenochtitlan y se dirigieron hacia ella. Al llegar a la ciudad fueron bien recibidos por Moctezuma el Joven. A pesar de la actitud de Moctezuma, los conquistadores españoles iniciaron la guerra contra los mexicas. La Ciudad de México fue atacada, sitiada y finalmente destruida en 1521.

Hernán Cortés.

Pedro de Alvarado, conquistador de Oaxaca.

La conquista de Oaxaca

Los conquistadores habían preguntado a Moctezuma en dónde obtenía el oro. Moctezuma les respondió que gran parte del oro lo recibían de Oaxaca. Entonces Hernán Cortés envió a Pedro de Alvarado junto con otros capitanes a buscar el oro y así se inició la conquista de Oaxaca.

Los españoles llegaron a Oaxaca por primera vez en el año de 1519. La reacción de los pueblos de Oaxaca fue muy variada. Algunos reinos indígenas trataron de aliarse a los conquistadores porque tenían interés en obtener caballos, lanzas y espadas para hacerse más poderosos. En señal de amistad les dieron oro y joyas.

Escenas de la conquista. Matanza en el Templo Mayor.

La conquista inició la destrucción de los señoríos indígenas.

Algunos reinos indígenas lucharon contra los españoles con valor.

Pero otros poblados de Oaxaca se opusieron a los españoles y lucharon con valor. Una de las batallas más famosas entre españoles y zapotecos tuvo lugar en las montañas de la Sierra Norte. Los españoles penetraron a la Sierra con sus caballos y escopetas. Los indígenas ya los estaban esperando. Con astucia los condujeron por veredas angostas y, desde lo alto de las montañas, les arrojaron piedras, lanzas y flechas matando a varios españoles y obligando a huir al resto.

Con valor los zapotecos de la Sierra habían logrado derrotar a esos españoles, pero en los años que siguieron muchas **expediciones** más llegaron a Oaxaca. La conquista de estas tierras duró muchos años.

ACTIVIDADES

Este dibujo está copiado del Códice Durán. En él se puede ver a Moctezuma dando un collar a Hernán Cortés.

1. Ilumina el dibujo.

2. En tu cuaderno haz una lista comparativa de las armas, animales y medios de transporte que tenían los españoles y los mexicas.

UNIDAD 9

LA ÉPOCA COLONIAL EN OAXACA

Mitla: dos culturas, nueva época.

JAVIER MEADE

Los grandes cambios en la sociedad indígena

El dominio de los españoles en Oaxaca

Con el apoyo de los indígenas que se habían hecho sus aliados, los españoles entraron a los reinos oaxaqueños y fueron derrotándolos. Las armas superiores y la continua llegada de más españoles hizo difícil la defensa.

Españoles marcando con hierro candente a un indígena.

Los españoles se convirtieron así en los nuevos gobernantes de los indígenas y les comenzaron a exigir tributo. Lo que más les interesaba a los españoles era el oro y los **esclavos** para que buscaran más oro. A los indígenas los marcaron en la cara con un hierro caliente para indicar que eran esclavos de su propiedad.

Las enfermedades que trajeron los españoles

Los conquistadores españoles trajeron enfermedades desconocidas en estas tierras, como la viruela y el sarampión. Estas enfermedades provocaron numerosas muertes entre los indígenas. Pueblos que habían tenido muchos habitantes quedaron casi deshabitados. Por ejemplo, antes de que llegaran los españoles había en el reino de Tehuantepec 20 mil familias; 60 años después quedaban sólo dos mil familias.

Una nueva religión

Muchos fueron los cambios que sufrieron los reinos indígenas en aquellos años, pero uno de los más importantes fue la introducción de una nueva **religión**.

Arte indígena en una iglesia dominica.

Poco tiempo después de que llegaron los conquistadores vinieron otros españoles: eran los frailes. Los frailes enseñaron a los indígenas una religión diferente. Predicaron la religión cristiana, el culto a los santos y a la virgen. Algunos frailes trataron de defender a los indígenas de la crueldad de los conquistadores.

Las antiguas creencias religiosas de los indígenas, con su rica visión del mundo y sus dioses que los protegían y ayudaban, fueron transformándose poco a poco debido a la evangelización realizada por los frailes **dominicos** en Oaxaca.

Esta nueva religión la adaptaron los indígenas a sus antiguas creencias, por lo cual vemos ahora que ciertas costumbres, como las ofrendas hechas a la tierra antes de realizar la siembra y el culto a los difuntos, continúan hasta hoy.

IDEAS PRINCIPALES

Los conquistadores obligaron a los indígenas a pagarles tributo.

Las epidemias de viruela y sarampión produjeron muchas muertes entre los indígenas.

Los dominicos llevaron adelante la evangelización de Oaxaca.

ACTIVIDADES

1. Investiga si los campesinos de tu comunidad realizan alguna ofrenda antes de sembrar los campos.

2. Haz una lista de lo que integra una ofrenda de día de muertos.

Los pueblos indígenas durante la Colonia

La época colonial

La llegada de los conquistadores españoles a México es uno de los hechos más importantes en la historia de nuestro país, pues cambió la vida de todos sus habitantes.

Códice mixteco.

A la época anterior a la llegada de los conquistadores se le llama *época prehispánica*. El momento de su llegada es la *conquista*. Los 300 años posteriores a la guerra de conquista los nombramos *época colonial*. Se le llama así porque entonces los pueblos que habitaban estas tierras se convirtieron en colonia del reino español.

Cambios en la forma de vida

Uno de los cambios más importantes que ocurrió durante los tres siglos que duró el periodo colonial fue el empobrecimiento de los señoríos indígenas. Este empobrecimiento se debió a que muchos indígenas murieron con las nuevas enfermedades y al tributo que pagaron a los españoles.

La economía de la Nueva España se basó en la minería, la agricultura, la ganadería, las haciendas y el comercio. Muchos señoríos indígenas perdieron sus tierras, aunque en Oaxaca la mayoría de los antiguos señoríos indígenas lograron conservarlas. Las montañas los protegieron. Los españoles no querían esos terrenos inclinados y difíciles.

La ropa bordada de colores y con plumas que usaban los indígenas fue cambiada por otra más sencilla. Los señoríos indígenas se convirtieron en pueblos pobres. Sus costumbres fueron modificadas por los españoles.

Códice mixteco colonial.

Los indígenas oaxaqueños trataron de aprender las nuevas actividades que los españoles habían traído de su tierra. Los españoles trajeron en sus barcos chivos, borregos, bueyes, puercos y trigo. Cuando los barcos regresaban a España llevaban —además de oro y plata— maíz, semillas de jitomate y de otros cultivos indígenas.

Los pueblos indígenas siguieron dedicándose al campo, pero comenzaron a trabajar con los animales traídos por los españoles. Aprendieron a hacer quesos de la leche que producían. A conservar su carne y a trabajar sus pieles.

La ciudad de Oaxaca

Después de la conquista otros españoles llegaron a vivir a Oaxaca. En el año de 1529 fundaron una pequeña villa en el centro de los Valles Centrales: Antequera, antiguo nombre de la ciudad de Oaxaca de Juárez.

IDEAS PRINCIPALES

Los señoríos indígenas se convirtieron en pueblos pobres.

Los indígenas aprendieron nuevas actividades.

Los indígenas aprovecharon los animales traídos por los españoles.

ACTIVIDAD

Dibuja en tu cuaderno un caballo y una vaca, y escribe para qué se utiliza cada uno de ellos.

Actividades que florecieron en Oaxaca durante la época colonial

Oaxaca, mapa colonial.

En el Norte y en el centro de la Nueva España, los españoles explotaron las minas de plata y se apropiaron de grandes extensiones de tierra. Esas grandes propiedades fueron llamadas haciendas. Los dueños de éstas se dedicaban a criar ganado y a sembrar maíz y trigo.

En Oaxaca no hubo minas importantes, tampoco haciendas muy grandes. En los Valles Centrales existieron haciendas, pero eran pequeñas comparadas con las de otras regiones de Nueva España.

Los dueños de esas haciendas fueron los españoles y sus hijos. Los descendientes de los antiguos gobernantes indígenas de la época prehispánica también tuvieron haciendas en el Valle.

La producción de grana y de mantas

La actividad más importante de los pueblos era el cultivo del campo, también se ocupaban en el tejido de mantas y en la producción de la grana. ¿Qué es la grana? La grana se obtiene de un insecto llamado Grana Cochinilla que se alimenta de las pencas del nopal. Los indígenas separaban con mucho cuidado esos animalitos del nopal, los secaban y los molían. La grana da un color rojizo muy bello.

La familia indígena dedicaba a la grana el tiempo que no ocupaba en sus siembras. Otros pueblos cultivaban algodón. Las mujeres tejían mantas.

Los días de mercado llevaban a vender mantas, grana y maíz. Algunos indígenas eran comerciantes importantes y obtenían buenas ganancias con la venta de sus productos; pero otras veces ocurría que los comerciantes españoles compraban por la fuerza a los indígenas sus productos a un precio muy bajo.

IDEAS PRINCIPALES

En Oaxaca los pueblos indígenas producían mantas y grana.

Los habitantes de Tehuantepec se rebelaron por los abusos que sufrían.

Las rebeliones indígenas

Los principales comerciantes de grana y de mantas eran los jueces españoles llamados alcaldes mayores. Estos jueces debían vigilar que las leyes se respetaran, pero frecuentemente les quitaban a los indígenas la grana y sus mantas por la fuerza. Si los indígenas no entregaban sus productos, los golpeaban y azotaban.

Uno de los alcaldes mayores que peores abusos cometió con los indígenas fue el de Tehuantepec en el año de 1660. Eran tantos sus abusos que un día las autoridades zapotecas de Tehuantepec se presentaron ante él para quejarse. El alcalde mayor, en lugar de escucharlos, los mandó azotar. Al saberlo el pueblo se enfureció; alrededor de mil personas, entre ellas muchas mujeres, salieron a la calle armadas con palos y piedras. Quemaron la casa del alcalde mayor y a él lo mataron a pedradas.

La rebelión se extendió a otros pueblos indígenas. Fue hasta el año siguiente que el señor obispo logró calmar a los rebeldes. Los líderes fueron apresados y castigados severamente.

ACTIVIDAD

Observa el cuadro siguiente y describe lo que hace el señor.

La sociedad de la época colonial

Durante los primeros años de la época colonial, la sociedad estuvo formada por dos grupos: los indígenas y los conquistadores españoles. Con el paso de los años, esa sociedad empezó a mezclarse. Primero, los españoles trajeron a sus mujeres y tuvieron hijos que al nacer en América, ya no eran españoles, sino *criollos*. Otros españoles se casaron con indígenas y a sus hijos se les conoció como *mestizos*.

Las castas

Debido a que muchos indígenas habían muerto por las epidemias y no había suficientes trabajadores, los españoles trajeron esclavos negros de África. Cuando un esclavo lograba huir buscaba refugio en las montañas. En otras ocasiones su dueño lo dejaba libre y podía encontrar trabajo en las ciudades. Esos hombres libres se casaron con mestizas o con criollas pobres. En la sociedad novohispana aparecieron más grupos sociales por las mezclas entre indígenas con españoles y negros. Estos grupos fueron conocidos con el nombre de castas.

Nuevos grupos sociales se formaron por la mezcla de españoles indígenas y negros.

Las desigualdades de la sociedad colonial

La sociedad colonial era muy rica y variada cultural y económicamente.

Los españoles que siguieron llegando y sus hijos, los criollos, eran muy ricos, eran dueños de haciendas y de minas, pero también entre ellos había diferencias. Los españoles eran los únicos que ocupaban los puestos importantes del gobierno **virreinal** y no daban esa oportunidad a sus hijos. Eso produjo enemistades entre estos dos grupos.

Los criollos habían nacido en estas tierras pero no podían gobernar. Por otro lado, la mayoría de los mestizos, de las castas y de los indígenas eran muy pobres. Estos problemas fueron agravándose, hasta que los criollos y otros grupos de la sociedad decidieron iniciar la lucha para lograr la Independencia de México.

Castas.

IDEAS PRINCIPALES

La sociedad novohispana estaba integrada por indígenas, españoles, criollos, negros, mestizos y castas.

Los españoles o peninsulares ocupaban los principales puestos en el gobierno.

Los criollos y los grupos pobres de la sociedad iniciaron una lucha para alcanzar su libertad.

ACTIVIDAD

Completa los nombres de los grupos sociales de Nueva España.

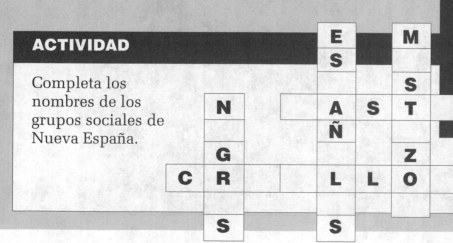

UNIDAD 10

LA LUCHA POR LA INDEPENDENCIA

El cura Hidalgo, por Juan O'Gorman.

El movimiento de Independencia

Antecedentes

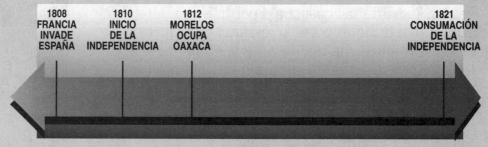

| 1808 FRANCIA INVADE ESPAÑA | 1810 INICIO DE LA INDEPENDENCIA | 1812 MORELOS OCUPA OAXACA | 1821 CONSUMACIÓN DE LA INDEPENDENCIA |

México es una República Federal, libre y soberana. ¿Cómo llegó a serlo? Hace muchos años, entre 1810 y 1821, hubo una guerra en la que nuestros antepasados pelearon para que nuestra patria fuera libre e independiente. A ese movimiento se le conoce como guerra de Independencia.

Las causas de la guerra de Independencia

Las experiencias e ideas de libertad provenientes de otros países influyeron en parte de la población novohispana. En Europa, se empezó a proponer que el pueblo eligiera libremente a sus gobernantes, que no hubiera reyes.

Estas ideas sirvieron para que en 1776 los habitantes de las 13 colonias fundadas por los ingleses, se liberaran de Inglaterra y declararan su independencia. Años después, en 1789, la Revolución Francesa rechazó la monarquía exigiendo en la Declaración de los Derechos del Hombre: *libertad, igualdad y fraternidad* entre todos los seres humanos. Finalmente, un movimiento tuvo gran impacto en América: la invasión francesa a España en 1808 que provocó la renuncia del rey español Fernando VII.

La invasión francesa a España, alentó en la Nueva España la idea de la Independencia. Además, en los últimos años de la Colonia se habían perdido las cosechas, por lo tanto faltaban alimentos; la riqueza era acaparada por unos cuantos mientras la mayoría vivía en la miseria; los mejores puestos de gobierno los obtenían los peninsulares, es decir, los nacidos en España.

Todo ello fortaleció entre los novohispanos la idea de independizarse de España.

Virrey Iturrigaray. El virrey era la máxima autoridad de Nueva España.

ACTIVIDAD

Escribe sobre la línea del tiempo lo que sucedió en 1776, 1779 y 1808.

1776	1779	1808	1810 INICIO DE LA INDEPENDENCIA	1812 MORELOS OCUPA OAXACA

El grito de Independencia

Las manifestaciones en favor y en contra de Fernando VII

Después de que Fernando VII, rey de España, fue obligado a renunciar al trono, en México hubo diversas manifestaciones: algunos lo celebraron y otros lo condenaron. En 1808, los comerciantes de la ciudad de México se manifestaron a favor de Fernando VII. Lo mismo hicieron los comcrciantes de la ciudad de Oaxaca en una ceremonia donde dieron su apoyo al rey español.

Miguel Hidalgo.

Pero otros mexicanos aprovecharon este suceso para encender la llama de la Independencia. El corregidor de Querétaro, Miguel Domínguez, y su esposa, Josefa Ortiz, Ignacio Allende y Juan Aldama, entre otros, organizaron una conspiración que alentaba la Independencia. Sin embargo, al descubrirse la conspiración el movimiento insurgente dio inicio.

El 16 de septiembre de 1810 Miguel Hidalgo y Costilla, cura del pueblo de Dolores, hizo sonar la campana de su parroquia llamando a la población a luchar por la Independencia. Con un ejército del pueblo inició la guerra de Independencia. Por eso recordamos a Hidalgo como el Padre de la Patria.

Fernando VII.

Las reacciones en Oaxaca

El movimiento de Hidalgo no fue visto con buenos ojos en Oaxaca por los grupos dirigentes. Se manifestaron en su contra el Ayuntamiento de la ciudad de Oaxaca, los funcionarios del gobierno español, el **clero** y el obispo Antonio Bergosa y Jordán. En Oaxaca, este obispo se convirtió en el principal enemigo de la Independencia; pero con sus escritos y sermones permitió a muchos oaxaqueños enterarse del movimiento de Hidalgo.

Oaxaca, El Portal del Señor. Grabado del siglo XIX.

Hidalgo sabía que sería difícil conseguir el apoyo de Oaxaca para lograr la Independencia. En 1810 envió a José María Armenta y a Miguel López de Lima con la finalidad de que ganaran aliados para el movimiento. Los dos fueron descubiertos y fusilados a fines de este año. Poco después, en 1811, se descubrió una conspiración encabezada por José Catarino Palacios y Felipe Tinoco, a quienes también se les fusiló. Ese mismo año, 1811, el cura Hidalgo fue hecho prisionero en Chihuahua y fusilado.

IDEAS PRINCIPALES

Miguel Hidalgo y Costilla inició la guerra de Independencia el 16 de septiembre de 1810.

En Oaxaca los grupos poderosos se manifestaron contra el movimiento de Independencia.

ACTIVIDAD

Participa en una representación del inicio del movimiento de Independencia encabezado por el cura Hidalgo.

Morelos en Oaxaca

Morelos toma Oaxaca

Crecía el descontento en diversas partes del territorio y las fuerzas insurgentes atacaban Oaxaca; los partidarios del rey formaron grupos armados para defender la región. Pero no pudieron contener el avance que con 5 mil hombres llevó a cabo, a fines de 1812, el cura José María Morelos y Pavón, partidario de Hidalgo.

José María Morelos y Pavón.

Morelos gobierna Oaxaca

Instalado en la ciudad de Oaxaca, Morelos tomó acciones contra los ricos, entre ellos los comerciantes de grana: Nicolás Aristi, Bernardino Bonavia y José María Régules. Detuvo y apresó a algunos españoles. Fusiló a militares realistas, es decir, partidarios del rey.

Morelos nombró en Oaxaca como intendente a José María Murguía y Galardi, como presidente del Ayuntamiento a Manuel Nicolás Bustamante, y a Benito Rocha como comandante militar. Instaló una casa donde se hicieron monedas de los insurgentes y fundó el periódico más importante de la guerra de Independencia: *Correo Americano del Sur.*

Morelos y el Congreso de Chilpancingo

Mientras Morelos guiaba los destinos de Oaxaca, en otras partes de Nueva España los ejércitos realistas triunfaban en diversas batallas. Esto provocó que Morelos tomara la decisión de salir de Oaxaca con rumbo a Acapulco en 1813.

Con el objeto de reorganizar a las fuerzas independentistas, ese mismo año convocó y realizó el Congreso de Chilpancingo. *Sentimientos de la Nación* fue el nombre que dio Morelos a uno de sus documentos principales. Ahí escribió, entre otras cosas, *que la América es libre e independiente de España*; *que la Soberanía dimana inmediatamente del Pueblo*; *y que la esclavitud se prohibe para siempre.*

Tras serias derrotas, los ejércitos realistas se reorganizaron y con Félix María Calleja a la cabeza fueron derrotando a los insurgentes. Morelos fue hecho preso y fusilado en diciembre de 1815.

El *Ilustrador Americano*, periódico insurgente.

ACTIVIDAD

Sopa de letras: encuentra a Morelos, Murguía y Soberanía.

```
M A X T E M O R I
O D I R Ñ U L U X
R W K M O R T R W
E S F L P G N Q Z
L B H N V U A M P
O L U X C I H T E
S O B E R A N I A
```

Fin de la guerra de Independencia

La guerra liberal en España y sus efectos en Nueva España

A partir de 1814 los ejércitos realistas fueron ganando batalla tras batalla a las tropas partidarias de la Independencia. Sólo Vicente Guerrero en el sur de la Nueva España llevaba a cabo una guerra de **guerrillas**.

Los años pasaban, y sin poder derrotarlo por completo, las fuerzas realistas se vieron obligadas a terminar con 10 años de violencia. Este momento se presentó cuando en España las fuerzas liberales tomaron el poder en 1820.

Como los liberales españoles luchaban porque el pueblo nombrara a sus gobernantes, los realistas en México llevaron a cabo un arreglo con la finalidad de seguir conservando sus privilegios.

Acta de Independencia de México, 1821.

Iturbide y Guerrero en la consumación de la Independencia

Guerrero e Iturbide.

El encargado de consumar la Independencia por parte de los realistas fue Agustín de Iturbide. Entró en pláticas con Vicente Guerrero y juntos firmaron el *Plan de Iguala*, el 24 de febrero de 1821, que puso fin a la guerra. Este plan establecía tres garantías: Independencia, Religión y Unión. En Oaxaca, diversos realistas apoyaron el Plan de Iguala. En Huajuapan, el capitán Antonio de León se sumó a la Independencia; en Villa Alta hizo lo mismo Nicolás Fernández del Campo. El 27 de septiembre de 1821 el Ejército de las Tres Garantías entró triunfante a la ciudad de México. Al día siguiente se firmaría el Acta de Independencia.

La Nación Mexicana que, por trescientos años, ni ha tenido voluntad propia, ni libre el uso de la voz, sale hoy de la opresión en que ha vivido.

Fragmento del Acta de Independencia de México, 28 de septiembre de 1821.

IDEAS PRINCIPALES

El Plan de Iguala fue proclamado por Agustín de Iturbide.

Independencia, Religión y Unión fueron las tres garantías propuestas por el Plan de Iguala.

ACTIVIDADES

Subraya la respuesta correcta.

1. Plan con el cual se consumó la guerra de Independencia.

   a) Plan de Iguala
   b) Plan de Ayutla
   c) Grito de Independencia

2. Militares realistas que en Oaxaca se sumaron a la Independencia.

   a) Antonio de León y Nicolás Fernández del Campo
   b) Miguel Hidalgo y José María Morelos y Pavón
   c) Agustín de Iturbide y Vicente Guerrero

UNIDAD 11
MÉXICO INDEPENDIENTE 1821-1845

Escudo de la República Mexicana.

El primer Imperio y el nacimiento de la República Mexicana

Iturbide proclamado emperador.

Elevación y caída de Iturbide

Agustín de Iturbide se convirtió en el principal dirigente del nuevo país. En 1822 entró en conflicto con el Congreso, que estaba elaborando una constitución para nuestro país. Los iturbidistas lo proclamaron Agustín I, emperador de México. Sus enfrentamientos con los diputados lo llevaron a tomar la decisión de disolver el Congreso, pero este hecho decidió su caída del poder.

Los opositores a Iturbide, dirigidos por Vicente Guerrero y Nicolás Bravo, se sublevaron y rápidamente derrotaron a los iturbidistas. En Oaxaca, Antonio de León, antiguo aliado de Iturbide, se sumó a la rebelión. El emperador Iturbide se vio obligado a salir del país. Regresó tiempo después, pero fue capturado y fusilado.

Con la derrota de Iturbide, los grupos triunfadores discutieron la mejor forma de gobierno para el nuevo país. En 1824 quedó establecida la República Federal con el nombre de Estados Unidos Mexicanos. Este mismo año el Congreso redactó la primera Constitución de nuestro país. Demetrio del Castillo, Francisco Estevez y Joaquín de Miura y Bustamante fueron los diputados por Oaxaca en el Congreso Constituyente. Otros importantes diputados en ese Congreso fueron Fray Servando Teresa de Mier, Miguel Ramos Arizpe y Carlos María de Bustamante. El primer presidente de la República fue Guadalupe Victoria.

IDEAS PRINCIPALES

El general oaxaqueño Antonio de León apoyó la rebelión para derrocar a Iturbide como emperador de México.

En 1824 se redactó la primera Constitución Política de los Estados Unidos Mexicanos y nuestro país quedó organizado como una República Federal.

ACTIVIDAD

De la lección escribe en tu cuaderno los hechos más importantes que sucedieron durante el Imperio y la caída de Iturbide.

Oaxaca durante la primera República

Nace el estado de Oaxaca

Como vimos en nuestra lección anterior, México se formó como República Federal después de que fue derrotado el imperio que estableció Agustín de Iturbide. Sin embargo, los primeros años fueron muy difíciles, ya que había que reorganizar su extenso territorio después de más de 10 años de lucha.

La Constitución de 1824 estableció que la República Mexicana tenía 19 estados y cinco territorios. En Oaxaca a mediados de 1824 se formó el Congreso Provisional que el 10 de enero de 1825 publicó la primera Constitución Política del Estado de Oaxaca. Nuestra entidad quedó dividida en ocho departamentos: Oaxaca, Villa Alta, Teotitlán del Camino, Teposcolula, Huajuapan, Tehuantepec, Jamiltepec y Miahuatlán.

Empezaba así una nueva etapa en la historia de Oaxaca como parte de los Estados Unidos Mexicanos.

IDEAS PRINCIPALES

Oaxaca fue uno de los 19 estados con los que se formó la República Mexicana en 1824.

La primera Constitución Política del estado de Oaxaca se publicó en 1825.

ACTIVIDAD

En el mapa de la izquierda localiza el departamento en el cual queda el lugar en donde vives.

OAXACA · DEPARTAMENTOS EN 1825

Norte

PUEBLA

VERACRUZ

TEOTITLÁN DEL CAMINO

HUAJUAPAN

VILLA ALTA

TEPOSCOLULA

OAXACA

TEHUANTEPEC

GUERRERO

CHIAPAS

JAMILTEPEC

MIAHUATLÁN

0 10 20 30 40 50   75   100
Kilómetros

OCÉANO PACÍFICO

Liberales contra conservadores

Lucas Alamán.

Los primeros pasos del país

Durante los primeros años de vida independiente resultó difícil organizar al país. Después de 300 años de haber sido colonia española, nuestros antepasados no se ponían de acuerdo en cuál era la mejor forma de conducir a México.

Las principales zonas agrícolas y mineras fueron afectadas por la guerra. Diez años de lucha habían dejado pobreza en el territorio nacional. Sobre esta difícil realidad se tuvo que ir estableciendo México.

Escudo nacional, 1825.

De los diferentes grupos que querían organizar el país destacan dos grandes bandos: los *conservadores* y los *liberales*. Los primeros querían conservar los privilegios heredados de la época colonial; los segundos, es decir los liberales, querían romper con el pasado colonial, defendiendo la república federal.

Inestabilidad en la nueva República

Después del gobierno de Guadalupe Victoria, entre 1824 y 1828, que mantuvo en relativa calma al país, las elecciones presidenciales de 1828 marcaron el inicio de los **pronunciamientos** y **asonadas** en todo México. Los gobiernos se sucedían unos a otros bajo la bandera conservadora o liberal.

En Oaxaca, durante los años de 1825 a 1855, 30 gobiernos diferentes intentaron poner orden a la cambiante situación.

Algunos dirigentes poderosos se levantaban en armas apoyando unas veces a los liberales y otras a los conservadores. Tal fue el caso de Antonio de León, militar realista que se sumó a la causa de la Independencia en apoyo a Iturbide. Después se unió con quienes combatieron al propio Iturbide.

Banquete al general Antonio de León.

En 1841, de León participó en el pronunciamiento de Antonio López de Santa Anna contra el gobierno de Anastasio Bustamante, obteniendo de esta manera el puesto de jefe militar y civil del estado.

En 1842 se nombró a de León gobernador de Oaxaca.

IDEAS PRINCIPALES

Tras la guerra de Independencia, nuestro país sufrió problemas económicos, políticos y sociales.

Como en el resto del país, entre 1825 y 1855 Oaxaca enfrentó numerosos cambios de gobierno, asonadas y problemas políticos.

ACTIVIDADES

Subraya la respuesta que consideres correcta.

1. Querían conservar gran parte de los privilegios heredados de la Colonia.

a) Liberales   b) Conservadores   c) Insurgentes

2. Político oaxaqueño que luchó tanto en el bando conservador como en el liberal.

a) Antonio López   b) Antonio de León   c) Guadalupe Victoria
   de Santa Anna

UNIDAD 12

GUERRA, INTERVENCIÓN Y RESTAURACIÓN DE LA REPÚBLICA

Batalla de Puebla, 1862.

La guerra contra los Estados Unidos de América: 1846-1848

LA REPÚBLICA MEXICANA EN 1857

La ambición norteamericana

A diferencia del centro y del sur del país, el norte de México casi no estaba poblado. Pese a diversos intentos por colonizar los extensos territorios del norte, el gobierno de México tenía poco control sobre ellos.

A los problemas políticos internos y a las dificultades económicas de México se sumó la ambición de los Estados Unidos de América por ampliar sus fronteras. Los norteamericanos habían apoyado la independencia de Texas y su anexión a la Unión Americana. En 1846 le declararon la guerra a México.

Los norteamericanos invadieron México y avanzaron hacia la capital del país. Después de una guerra de 16 meses, durante los cuales el pueblo de México defendió la patria con heroísmo, el ejército enemigo ocupó la ciudad de México. Tras la derrota, el gobierno mexicano firmó los *Tratados de Guadalupe Hidalgo*, cediendo los territorios de Texas, Nuevo México y California.

¿Que pasó en Oaxaca?

Los Estados Unidos de América mostraron gran interés por ocupar el Istmo de Tehuantepec. Querían construir un canal para unir al Océano Pacífico con el Atlántico, que les sirviera en sus actividades comerciales y militares. El gobierno oaxaqueño rechazó este plan. Los norteamericanos insistieron durante décadas sin lograr su objetivo.

IDEAS PRINCIPALES

Estados Unidos de América nos quitó más de la mitad de nuestro territorio a mediados del siglo XIX.

El gobierno oaxaqueño se opuso a que los Estados Unidos de América construyera un canal en el Istmo de Tehuantepec.

ACTIVIDADES

1. Dibuja en tu cuaderno un mapa del país, destacando el Istmo de Tehuantepec.

2. Comenta con tus compañeros para qué serviría un canal a través del Istmo.

El triunfo de los liberales

Ideas y acciones

En su lucha por dirigir al país, los liberales fueron imponiendo sus ideas poco a poco: fortalecer las autonomías locales, defender la República Federal, poner a la venta los bienes que tenían las comunidades civiles y eclesiásticas.

Después de la Independencia, en diversos estados se empezaron a vender las propiedades de las comunidades indígenas y de la Iglesia. En 1833, Valentín Gómez Farías, vicepresidente de la República, dictó leyes que buscaban evitar la participación de la Iglesia en la educación y prohibir el pago de los diezmos a la Iglesia. Este proyecto fracasó, pero sembró la semilla de lo que sucedería unos años después.

Benito Juárez.

Benito Juárez y las reformas liberales

Entre este primer intento y el triunfo liberal, México enfrentó la guerra con los Estados Unidos de América. Sólo unos cuantos mexicanos creían poder salvar al país. Benito Juárez, líder de los liberales, fue uno de ellos.

El trabajo de Juárez se inició en 1830. Antes de ser presidente de México, fue empleado local, gobernador y Ministro de la Suprema Corte de Justicia de la Nación. En plena guerra con los Estados Unidos de América fue uno de los tres políticos que gobernaron a Oaxaca. A partir de ese momento, Juárez primero luchó por su estado y luego por hacer de nuestro país una gran nación.

Ante las reformas liberales, la respuesta de la Iglesia y de las comunidades indígenas oaxaqueñas fue la rebelión. Durante todo el siglo XIX las comunidades indígenas de Oaxaca lucharon por sus tierras y por defender su derecho a elegir a sus autoridades.

Los liberales pusieron en venta las propiedades de la Iglesia y de las comunidades indígenas.

En Oaxaca, la política liberal provocó rebeliones indígenas.

En 1857 se redactó la segunda Constitución Política de la República Mexicana.

El Plan de Ayutla y la Constitución de 1857

Con el Plan de Ayutla de 1854, encabezado por Juan Álvarez, culminó la lucha de los liberales contra la dictadura de Santa Anna. Los conservadores –grandes hacendados, la Iglesia y los comerciantes– también resintieron la derrota. Al triunfo de este movimiento, se convocó a un congreso para redactar una nueva constitución.

Uno de los episodios más notables y significativos de este periodo fue el Congreso Constituyente que promulgó la Constitución de 1857. En esta Constitución están registradas las ideas más importantes de los liberales: la República Federal como forma de gobierno; el poder del Estado sobre el poder de la Iglesia; limitar los fueros, es decir, los privilegios eclesiásticos y militares; venta de los bienes de la Iglesia y de las comunidades indígenas; establecimiento de las garantías individuales y rango constitucional al derecho de amparo.

Personajes del siglo XIX.

ACTIVIDAD

Ordena cada hecho poniendo el número 1 a lo que haya sucedido primero y así sucesivamente:

( )   Se promulgó la Constitución de 1857.
( )   Valentín Gómez Farías prohibió el pago de diezmos.
( )   Juan Álvarez encabezó el Plan de Ayutla.

Lección 46

La Guerra de Reforma

Los conservadores reaccionaron en contra de la
Constitución de 1857. Lanzaron el *Plan de Tacubaya*,
y aliados con parte del ejército iniciaron la llamada
guerra de Reforma o guerra de tres años. El gobierno
federal, dirigido por el oaxaqueño Benito Juárez,
enfrentó a los conservadores.

El papel de Oaxaca en estos sucesos

En la guerra de tres años, Oaxaca desempeñó un
papel importante. A fines de 1857 el gobernador José
María Díaz Ordaz publicó un decreto donde nuestra
entidad se separaba temporalmente de la República
Mexicana, por estar en desacuerdo con el gobierno
conservador de Félix Zuloaga. En 1859
los conservadores tomaron la ciudad de
Oaxaca y el gobierno liberal tuvo que huir
al pueblo de Ixtlán, en la Sierra Juárez.
Los liberales se organizaron y bajo el
mando de José María Díaz Ordaz y de
Porfirio Díaz contraatacaron. En el pueblo
de Santo Domingo del Valle tuvo lugar la
batalla que abrió las puertas a los
liberales para recuperar la ciudad de
Oaxaca el 5 de agosto de 1860.

Batalla de Calpulalpan

El triunfo de los liberales oaxaqueños
se sumó al que otros liberales obtenían en
diferentes partes del país, por ejemplo, la
batalla de Calpulalpan. Su victoria parecía absoluta, por eso dictaron una
amnistía para los perdedores después de tres largos años de guerra. Los
conservadores, inconformes con la derrota, solicitaron a Francia su
intervención para enfrentar a los liberales.

IDEAS PRINCIPALES

El triunfo liberal
provocó que los
conservadores
tomaran las armas,
dando inicio a la
guerra de Reforma o
de tres años.

Los conservadores
pidieron ayuda a
Francia para que
interviniera
militarmente en
México, apoyándolos
en su lucha contra los
liberales.

ACTIVIDADES

1. ¿Quiénes iniciaron la Guerra de Reforma?
2. ¿Con qué otro nombre se le conoce a la Guerra de Reforma?

1862
Derrota de
los franceses
en Puebla

1866
3 de octubre
Batalla de
Miahuatlán

1872
18 de julio
Muerte de
Benito Juárez

1864
Llegada de
Maximiliano y
Carlota a México

1871
Plan de
la Noria

La intervención francesa

Los oaxaqueños en primera línea

Debido a los grandes gastos provocados por las guerras, cuando Benito Juárez era presidente, el gobierno no pudo pagar lo que debíamos a otros países. Los franceses mandaron a miles de soldados con el pretexto de cobrarnos, pero en realidad querían quedarse gobernando nuestro país.

Los oaxaqueños debemos estar muy orgullosos del papel que tuvo nuestro estado en rechazar a los invasores. Las balas del ejército oaxaqueño fueron las primeras que se dispararon contra los invasores en el estado de Veracruz.

El oaxaqueño Porfirio Díaz fue uno de los principales héroes del triunfo sobre los franceses en Puebla, el 5 de Mayo de 1862.

Los franceses se apoderan de Oaxaca

Los soldados invasores lograron dominar las principales ciudades del país. Oaxaca era el último lugar armado que les faltaba dominar. En 1864, después de dos años de luchar contra ellos, los ejércitos invasores entraron al estado por la Mixteca. El mariscal Bazaine, jefe militar de las tropas francesas, vino a Oaxaca a dirigir, con seis mil soldados, la lucha contra las fuerzas mexicanas.

Porfirio Díaz.

Grabado de Posada.

La deuda externa originó la invasión francesa a México.

Los oaxaqueños defendieron heroicamente a la patria frente a los invasores franceses.

Díaz, a pesar de la fuerte resistencia que había logrado organizar para defender la ciudad de Oaxaca, tuvo que rendirse ante la superioridad de las armas contrarias. Díaz y sus mejores hombres fueron llevados prisioneros a Puebla. Los franceses ocuparon la ciudad de Oaxaca más de dos años.

Maximiliano, Carlota y Napoleón III

Cuando los soldados franceses entraban por la Mixteca oaxaqueña, llegaron a México Maximiliano y su esposa Carlota.

Con el apoyo de Napoleón III, Emperador de Francia, Maximiliano de Habsburgo vino de Europa invitado por un grupo de conservadores para hacerse coronar Emperador de México. Sin embargo, Napoleón gastó tanto en guerras que ya no pudo seguir pagando a los soldados franceses, ni ayudar a Maximiliano.

Maximiliano y Carlota.

ACTIVIDAD

Completa lo siguiente:
En la batalla del 5 de mayo de 1862 el general _____ les ganó a los _____ en la ciudad de_____.

La lucha oaxaqueña contra los franceses

En plena batalla.

Los juchitecos contra Bazaine

Durante los dos años de la ocupación francesa de la ciudad de Oaxaca, en el Istmo, los de Tehuantepec y Juchitán estuvieron en constante riña. Tehuantepec había decidido apoyar al imperio de Maximiliano; Juchitán, en cambio, permaneció fiel a la República.

El mariscal Bazaine tenía que vencer la resistencia de Juchitán. Sus planes eran someter el sur del país al Imperio de Maximiliano. Todo parecía que iba a ser un triunfo seguro: dos mil soldados franceses y austriacos contra 500 soldados de Juchitán. Las mujeres y los campesinos de los pueblos vecinos de Juchitán, incluyendo a los de San Blas, armados solamente con machetes y palos, se unieron a los juchitecos. Al grito de: ¡Ahora, Padre Vicente, sobre ellos! ofrecieron tal batalla que derrotaron completamente al enemigo el 5 de septiembre de 1866.

Soldado zuavo.

Batallas de Miahuatlán y La Carbonera

Mientras tanto, Porfirio Díaz escapó de la cárcel de Puebla usando una cuerda. Al comandante francés encargado de cuidarlo le dejó un recado: "después nos vemos, pero en el campo de batalla". Rápidamente regresó a pelear contra el enemigo en Oaxaca.

El 3 de octubre de 1866 es recordado por la batalla de Miahuatlán contra fuerzas de tres mil hombres. La victoria de los oaxaqueños fue completa. Los enemigos que lograron huir se refugiaron en la ciudad de Oaxaca.

Una columna que venía en ayuda de los extranjeros fue derrotada en "La Carbonera", no muy lejos de la capital del estado. El ejército de Díaz se quedó con muchos rifles que dejaron tirados los enemigos y hasta con cuatro cañones. Ahora sí podían ir a rescatar la ciudad de Oaxaca.

La toma de la ciudad de Oaxaca

Con una columna de prisioneros extranjeros marchando al frente, Porfirio Díaz avanzó hacia la ciudad. El comandante enemigo, al ver acercarse a jinetes tan ordenados y tan bien uniformados, se puso muy contento y mandó tocar las campanas de la ciudad: creía que eran sus tropas. A punto de salir a recibirlos se dio cuenta de que eran prisioneros de guerra. Era demasiado tarde, ya no pudo defenderse y entregó la ciudad a Porfirio Díaz.

Carruaje en el que viajaba el presidente Juárez.

Triunfo de México y muerte de Maximiliano

Porfirio Díaz se dirigió a Puebla con un ejército que tenía el ánimo muy alto después de haber reconquistado el estado de Oaxaca. El 2 de abril de 1867, Díaz derrotó a los que defendían al Imperio de Maximiliano.

Acosado, Maximiliano abandonó la capital del país y se fue a refugiar a Querétaro. Díaz fue a México y, después de vencer a los que todavía se resistían, esperó al presidente Juárez para entregarle la bandera mexicana que volvió a ondear en Palacio Nacional.

Maximiliano antes de morir.

Maximiliano fue fusilado, junto con los generales Miramón y Mejía, en el año de 1867 en la ciudad de Querétaro. El país volvía a estar en manos de mexicanos. Más de cinco años estuvieron aquí los soldados de Napoleón.

Los oaxaqueños derrotaron a los franceses en las batallas de Miahuatlán, la Carbonera y Juchitán.

Maximiliano fue derrotado y fusilado en 1867 en la ciudad de Querétaro.

Fusilamiento de Maximiliano, Miramón y Mejía según el pintor francés Édouard Manet.

ACTIVIDAD

En este cuadro puedes ver que fusilan a Maximiliano, Miramón y Mejía, ¿por qué los fusilan?

Restauración de la República

Al restaurar la República, Juárez dirigió un manifiesto a la nación el 15 de julio de 1867:

Mexicanos: El Gobierno Nacional vuelve hoy a establecer su residencia en la Ciudad de México, de la que salió hace cuatro años... Fue con la segura confianza de que el pueblo mexicano lucharía sin cesar contra la inicua invasión extranjera, en defensa de sus derechos y de su libertad.

El presidente Benito Juárez.

Salió el gobierno para seguir sosteniendo la bandera de la patria, por todo el tiempo que fuera necesario hasta obtener el triunfo de la causa santa de la independencia y de las instituciones de la República.

Lo han alcanzado los buenos hijos de México, combatiendo solos, sin auxilio de nadie, sin recursos ni los elementos necesarios para la guerra. Han derramado su sangre con sublime patriotismo, arrostrando todos los sacrificios, antes que consentir en la pérdida de la República y de la Libertad.

Sebastián Lerdo de Tejada.

Recibimiento a Juárez en la Ciudad de México.

En nombre de la Patria agradecida, tributo el más alto reconocimiento a los buenos mexicanos que la han defendido y a sus dignos caudillos. Mexicanos: ...Que el pueblo y el gobierno respeten siempre los derechos de todos. Entre los individuos, como entre las naciones, el respeto al derecho ajeno es la paz.

Juárez quería seguir haciendo mejoras en México: continuar la construcción del ferrocarril a Veracruz interrumpida por las guerras; construir caminos; abrir escuelas; pero se necesitaba reordenar al país y mucho dinero para emprender tantas obras.

IDEA PRINCIPAL

El presidente Juárez tras la derrota de los invasores franceses restauró la República.

ACTIVIDAD

Con tus palabras explica el siguiente párrafo:

"Entre los individuos como entre las naciones, el respeto al derecho ajeno es la paz"

Lucha entre liberales

El plan de la Noria

Derrotados los franceses en 1867, Benito Juárez volvió a tomar las riendas del país, del que no había dejado de ser presidente. Porfirio Díaz, por su parte, había sido el ganador en el campo de batalla y también quería ser presidente, aunque tuviera que tomar las armas contra su antiguo amigo y paisano, Benito Juárez.

General Ignacio R. Alatorre, leal a Juárez.

En la hacienda La Noria se firmó, en 1871, un plan para la rebelión que Díaz organizó contra el gobierno de Juárez. El *Plan de la Noria* luchaba contra la reelección.

Díaz no estaba de acuerdo en que Juárez siguiera gobernando, pues era presidente desde 1858. Eso a Díaz no le parecía bien. En cambio, Juárez creía que apenas comenzaba una época de nuestra historia sin luchas entre los propios mexicanos.

Muere el "Chato" Félix Díaz

Por el enfrentamiento entre los que estaban a favor de Juárez y los que apoyaban a Díaz, en Oaxaca la gente empezó a tomar partido. Del lado de Juárez, estaba el general Ignacio Alatorre, quien en menos de cuatro meses derrotó a los seguidores de Díaz.

Plaza de Oaxaca.

El gobernador de Oaxaca era el "Chato" Félix Díaz, hermano del general Porfirio Díaz. Huyendo de las fuerzas de Alatorre, el "Chato" se fue para la costa, en enero de 1872. Pero cayó en manos de sus temidos enemigos los juchitecos.

Muerte de Benito Juárez

Benito Juárez fue un gran hombre. Supo dirigir al país y enfrentar al enemigo extranjero. Unificó a la nación y con otros hombres de su generación es uno de los fundadores del México moderno. Juárez falleció el 18 de julio de 1872.

ACTIVIDAD

Relaciona correctamente las dos columnas con una línea.

Encabezó el Plan de la Noria	Félix Díaz
Fundador del México moderno	Porfirio Díaz
Murió asesinado por los juchitecos	Benito Juárez

UNIDAD 13

EL PORFIRIATO

Porfirio Díaz.

Porfirio Díaz presidente

El Plan de Tuxtepec

En 1876 Porfirio Díaz volvió a tomar las armas. En el *Plan de Tuxtepec* se opuso de nuevo a la reelección presidencial. Los líderes de la Sierra Juárez, entre otros, secundaron el plan y lo ayudaron a derrotar al gobierno, entonces en manos de Sebastián Lerdo de Tejada. Así fue como en 1877 dio comienzo lo que llamamos el *Porfiriato*, que terminaría hasta 1911, cuando Díaz dejó la silla presidencial y se fue de México.

El primer ferrocarril de Puebla a Oaxaca.

Casa de Tuxtepec.

Se dan la mano muchos enemigos

Al llegar a la presidencia, Díaz invitó a trabajar en su gobierno a algunos de sus antiguos enemigos. Perdonó a los responsables de la muerte de su hermano Félix. Estableció alianzas con grupos que pocos años atrás parecían irreconciliables.

Díaz quería *orden y progreso*. Él y su generación, querían que en México se hicieran obras públicas: mejorar la imagen de México ante el mundo, arreglando la cuenta pública.

Grupo de rurales.

Era necesario para el país que los negocios fueran bien, que vendiéramos mucho y que vinieran de otros países a invertir en México.

Urgía hacer caminos, pues no se podían llevar a los mercados los minerales, frutas y granos de los lugares apartados. Así fue como se continuó y mejoró lo comenzado por Benito Juárez: hacer carreteras y, en especial, construir *caminos de fierro*, como se les llamaba a los ferrocarriles. Se colocaron kilómetros y kilómetros de cables y postes para comunicar a las ciudades por medio del telégrafo.

Por supuesto que no dejaba de haber asaltos en los caminos, como en años anteriores. Díaz mejoró el muy temido cuerpo de policía, llamado *Rurales*, que había sido formado por Juárez.

IDEAS PRINCIPALES

El *Plan de Tuxtepec* le dio la oportunidad a Porfirio Díaz de llegar al poder.

Tras décadas de inestabilidad política y económica, con el gobierno de Porfirio Díaz se inició una época de paz en México.

ACTIVIDADES

1. ¿En qué año empezó Porfirio Díaz a luchar para ser presidente?

2. ¿Hasta qué año estuvo en el puesto?

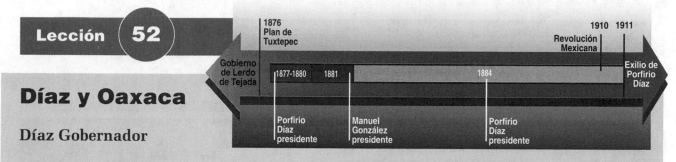

1876
Plan de
Tuxtepec

1910 1911
Revolución
Mexicana

Gobierno
de Lerdo
de Tejada

1877-1880   1881   1884

Exilio de
Porfirio
Díaz

Porfirio
Díaz
presidente

Manuel
González
presidente

Porfirio
Díaz
presidente

Díaz y Oaxaca

Díaz Gobernador

En 1880, Díaz terminaba su primer periodo presidencial. La no reelección había sido una de sus banderas políticas y tenía entonces que dejar el cargo de presidente y obedecer él mismo la ley.

Díaz arregló las cosas para que su compadre Manuel González quedara como presidente de México. Porfirio Díaz asumió entonces la gubernatura de Oaxaca, en la que estuvo dos años. Después regresó a México para seguir de cerca lo que sucedía en la capital de la República y dos años más tarde asume de nuevo la presidencia.

PRIMER
Camino de Fierro
EN LA REPUBLICA MEXICANA.

Díaz comunicó a Oaxaca con el resto del país.

Mejoras en Oaxaca

Tanto en los años que Díaz gobernó Oaxaca como en los que fue presidente de México, Díaz realizó muchas obras en nuestro estado: se alumbraron las principales calles con lámparas de gas, se empezó a tender la vía del ferrocarril de Tehuantepec a Salina Cruz; se inauguró el servicio de telégrafo entre la Mixteca y la ciudad de Oaxaca.

Vale la pena recordar que algunas de las obras realizadas entonces aún existen: se fundaron las Escuelas Normales de Profesores y Profesoras del Estado de donde salieron los maestros que educaron por muchos años a los niños oaxaqueños.

Se construyó el mercado central de la ciudad de Oaxaca. Pero sin duda la obra más importante fue el ferrocarril de Puebla a Oaxaca. A celebrar su inauguración en 1892, vino a Oaxaca el mismo Porfirio Díaz.

También se construyó, en la ciudad de Oaxaca, el teatro que ahora se llama Macedonio Alcalá y el edificio del Instituto de Ciencias y Artes, que hoy en día ocupa la Escuela de Derecho.

Porfirio Díaz también hizo las paces con los obispos mexicanos en todo el país. Como parte del grupo conservador la Iglesia había apoyado que Maximiliano viniera a México. Los conservadores católicos se habían opuesto a las Leyes de Reforma, en especial, a las que se referían a la venta de los bienes de la Iglesia y a la educación no religiosa en las escuelas. En Oaxaca, el obispo Eulogio Gillow fue un personaje importante para mejorar las relaciones entre el gobierno de Díaz y la Iglesia.

IDEAS PRINCIPALES

Durante el Porfiriato en Oaxaca se realizaron diversas obras públicas.

El primer periodo de gobierno de Porfirio Díaz terminó en 1880.

Patio del Instituto de Ciencias y Artes del Estado.

ACTIVIDADES

1. ¿En Oaxaca, qué obras se realizaron durante el Porfiriato y cuál fue la más importante?

2. Si es posible, visita con tu maestro alguna construcción que se haya realizado durante el Porfiriato en el lugar donde vives.

Los problemas del Porfiriato

La esclavitud y las tiendas de raya

El trabajo en las haciendas.

Sin duda alguna, durante el Porfiriato hubo paz y orden en el país, así como muchas mejoras materiales. Sin embargo, como en todas las sociedades, la del Porfiriato tuvo luces y sombras.

Aquí, en nuestro estado, cerca de Tuxtepec, fueron llevados a Valle Nacional miles de trabajadores de todas partes del país. Los dueños extranjeros y los ricos mexicanos tenían a toda esa gente, incluyendo mujeres, trabajando como esclavos.

Durante el porfiriato, a los peones los obligaban a trabajar en las haciendas contra su voluntad y tenían que comprar todo en la tienda de la misma hacienda, que llamaban la *tienda de raya*. Por eso tenían que seguir trabajando hasta terminar de pagar todo lo que debían.

Tienda de raya.

El reparto de las tierras

Los liberales creían que era mejor que cada campesino tuviera en propiedad un pedazo de tierra en vez de que en cada pueblo tuvieran muchos terrenos en común. Durante el Porfiriato casi la quinta parte de las tierras del país pasó a manos de particulares.

En Oaxaca, en los primeros años del Porfiriato, los pueblos no perdieron tanto sus tierras comunales como sucedió en otros estados. Algunos años después las cosas cambiaron y los campesinos perdieron muchas de las mejores tierras del Istmo, de la Costa y de Tuxtepec. Esas tierras pasaron a ricos mexicanos de otras partes del país y a manos de extranjeros.

El ejército y la leva

En Oaxaca, como en el resto del país, el ejército porfiriano reclutaba por la fuerza en los pueblos y ciudades hombres jóvenes para hacerlos soldados. Esa forma de obligar a la gente a entrar al ejército se conoce como *leva*.

Se cometieron muchos abusos contra los que no tenían trabajo y contra los vagos. Con cualquier pretexto se les podía mandar a Valle Nacional a realizar trabajos forzados. Allá también fueron a parar muchos indígenas yaquis del norte del país.

La desigualdad

Durante el Porfiriato hubo gente a quien le fue muy bien: hacendados que cultivaban café, henequén y caña de azúcar y vendían productos que salían de México por los ferrocarriles y los puertos. Hicieron buenos negocios con compañías extranjeras, especialmente las mineras y las petroleras. Pero la gran mayoría de la población seguía pobre.

De hecho, muchos empobrecieron más, porque habían perdido sus tierras, se enfermaban trabajando de sol a sol y no había hospitales para ellos. No alcanzaban las tortillas para los oaxaqueños pobres, porque las grandes propiedades se usaban para cultivar productos comerciales y no para sembrar maíz.

IDEAS PRINCIPALES

El progreso que buscaba Porfirio Díaz no llegó a todos los mexicanos; la mayoría de la población empobreció.

En Oaxaca el maíz no alcanzaba para alimentar a la población, porque las tierras servían para otros cultivos.

Para mantenerse en el poder, el dictador Díaz cometió muchos abusos.

La leva.

ACTIVIDAD

Tomando en cuenta las lecciones 51, 52 y 53, con la ayuda de tu maestro, organiza un noticiero sobre el porfiriato, destacando los hechos más importantes.

Los últimos años del Porfiriato

Los Flores Magón

El oaxaqueño Ricardo Flores Magón y sus hermanos Jesús y Enrique, estudiantes en la ciudad de México, participaron en varias manifestaciones contra el presidente Díaz. Se necesitaba valor para hablar en público, y Ricardo llegó a decir: "Señores, la administración de Porfirio Díaz es una madriguera de ladrones."

El matrimonio Flores Magón.

Camilo Arriaga era un ingeniero de San Luis Potosí que, junto con otros creó en todo el país un movimiento en contra del gobierno: el Partido Liberal Mexicano. Perseguidos por Díaz, los Flores Magón, originarios del distrito de Teotitlán, se refugiaron en los Estados Unidos de América, desde donde siguieron organizando a sus simpatizantes. Unos cuantos años después se lanzaron a derrocar al gobierno. Publicaron *Regeneración*, un periódico que llegó a ser muy conocido. Hubo tantos periódicos, de un lado y de otro, que parecía una guerra de letras entre unos y otros. Poco tiempo después la guerra sería a balazos.

El periódico Regeneración.

Mucha gente estaba descontenta con el gobierno de Porfirio Díaz y se organizó en clubes, escribió valientemente en periódicos, e hizo intentos de levantarse en armas, pero fueron perseguidos y asesinados. Díaz, como todo dictador, no quería que otros llegaran a gobernar. Los hermanos Flores Magón y otros compañeros, denunciaron a Díaz y prepararon el fin de su dictadura.

Oaxaca también se preparaba para una nueva época

En Oaxaca se guardaba un buen recuerdo de Benito Juárez y de los ideales por los que había luchado. Mucha gente se organizó en clubes como el que dirigió "Don Retumbo", como llamaban, por lo fuerte de su voz, al señor Rafael Odriozola, originario de Cuicatlán.

La crítica al porfiriato.

IDEAS PRINCIPALES

La dictadura de Díaz hizo que la gente quisiera un cambio en el gobierno.

Los hermanos Flores Magón fueron precursores de la Revolución Mexicana.

Otros, aquí en Oaxaca, se organizaron bajo el nombre de la Asociación Juárez. Ésta y otras organizaciones se dedicaron a hacerle la vida difícil al presidente Díaz. En respuesta, el gobernador Emilio Pimentel encarceló a algunos miembros de la Asociación Juárez. Varios estaban todavía en las cárceles de México cuando Díaz dejó la presidencia en 1911 y se fue con su familia a vivir a Francia. Para entonces, otra época comenzaba en la historia de México y de Oaxaca, como verás en las siguientes lecciones.

ACTIVIDADES

1. En este grabado están los hermanos Flores Magón en el taller de José Guadalupe Posada, quienes lucharon contra las injusticias del gobierno de Díaz. Obsérvalo y describe lo que se ve a través de la ventana en el grabado.

UNIDAD 14

LA REVOLUCIÓN MEXICANA EN OAXACA

Soldados federales en la Sierra Juárez.

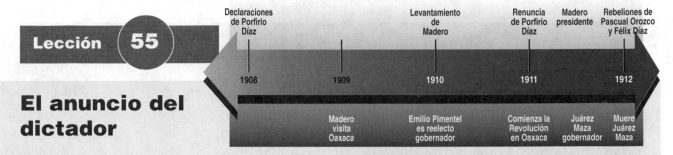

Declaraciones de Porfirio Díaz — 1908 — Madero visita Oaxaca

Levantamiento de Madero — 1910

Renuncia de Porfirio Díaz — 1911

Madero presidente

Rebeliones de Pascual Orozco y Félix Díaz — 1912

1909 — Emilio Pimentel es reelecto gobernador

Comienza la Revolución en Oaxaca — Juárez Maza gobernador — Muere Juárez Maza

El anuncio del dictador

Madero visita Oaxaca

En 1908, el presidente Porfirio Díaz declaró que no participaría como candidato en las siguientes elecciones, pues consideraba que los mexicanos estaban preparados para elegir a sus gobernantes sin que se alterara la paz. Este anuncio despertó las inquietudes políticas de muchos mexicanos.

Francisco I. Madero, miembro de una rica familia de Coahuila, fue uno de los que tomaron en serio lo dicho por Díaz. En su libro, *La sucesión presidencial*, Madero expresó la necesidad de un cambio en México y llamó al pueblo a organizarse en partidos políticos.

Con hombres jóvenes como el oaxaqueño José Vasconcelos, Madero fundó el Partido Nacional Antirreeleccionista. El lema de esa organización todavía lo usamos en México: **"Sufragio** efectivo, no **reelección".**

Madero en Oaxaca

Madero viajó a las principales ciudades del país, para dar a conocer sus ideas e invitar a los mexicanos a votar. En diciembre de 1909 llegó a Oaxaca; unas cuantas personas lo esperaban en la estación del ferrocarril.

Francisco I. Madero.

Estación del Ferrocarril Mexicano del Sur en la ciudad de Oaxaca.

Esa noche se organizó un acto de propaganda en el salón "París", lugar de exhibición de películas en el centro de la ciudad. Al día siguiente, la policía impidió una reunión programada por los maderistas ante la estatua de Benito Juárez en el cerro del Fortín.

Madero no se desanimó y en la casa de uno de sus partidarios fundó el Club Central Antirreeleccionista de Oaxaca, que encabezó el licenciado Juan Sánchez y en el que participaban varios artesanos.

Madero se fue de Oaxaca satisfecho después de haber fundado un grupo antirreeleccionista en la propia tierra del dictador Díaz.

IDEAS PRINCIPALES

En 1908, Porfirio Díaz declaró que el pueblo mexicano estaba maduro para ejercer la democracia.

Francisco I. Madero fundó el Partido Nacional Antirreeleccionista y viajó por todo el país invitando al pueblo a votar en las elecciones.

Madero visitó Oaxaca y fundó un club antirreeleccionista.

La ciudad de Oaxaca en 1908.

ACTIVIDAD

El lema del Partido Nacional Antirreeleccionista fue: "Sufragio efectivo, no reelección". En tu cuaderno escribe como entiendes esta frase.

Comienza la Revolución

Las elecciones de 1910 y el Plan de San Luis

Porfirio Díaz olvidó lo prometido y en las elecciones de 1910 fue nuevamente candidato a la presidencia de la República. Como en ocasiones anteriores fue declarado ganador. Tenía entonces 80 años.

Postal conmemorativa.

Sin embargo, existía en el país un importante grupo de personas inconformes con el gobierno, a quienes se conocía como antirreeleccionistas, que reclamaron sin éxito el resultado oficial de las elecciones. Madero comprendió que la vía pacífica para el cambio estaba cerrada.

En el *Plan de San Luis*, Madero llamó al pueblo de México a levantarse en armas en contra de la dictadura porfirista. Esta rebelión debía estallar el 20 de noviembre de 1910 en las principales ciudades del país.

Emilio Pimentel, último gobernador porfirista en Oaxaca.

Los primeros tiempos del movimiento maderista fueron difíciles, pues el gobierno de Díaz supo de la rebelión antes de que estallara; pero los seguidores de Madero lograron consolidar una fuerza en el norte del país, especialmente en Chihuahua. El fin de la dictadura se acercaba.

La revolución llega a Oaxaca

En nuestro estado, el primer levantamiento contra el gobierno porfirista ocurrió en Ojitlán, en la región de Tuxtepec, el 21 de enero de 1911. Sebastián Ortiz, ranchero y antiguo simpatizante de los Flores Magón, y sus seguidores tomaron el edificio municipal, detuvieron a las autoridades y se llevaron las armas y municiones que encontraron. Después, el grupo se fue para la sierra chinanteca.

El buque Ypiranga, en el cual salió de México Porfirio Díaz.

El gobierno envió a Tuxtepec 500 soldados con el fin de acabar con los revolucionarios miembros del "Ejército Libertador Benito Juárez". El movimiento ojitleco causó mucha inquietud en la ciudad de Oaxaca, donde varios antirreeleccionistas fueron encarcelados. El arzobispo Eulogio Gillow llamó a los católicos a no participar en la Revolución.

138

Dos meses después, la revuelta había crecido. Grupos rebeldes de Guerrero y Puebla se internaron en la Costa y en la Mixteca y hubo levantamientos armados en Jamiltepec.

En la región de la Cañada la insurrección corrió a cargo de Manuel Oseguera y Baldomero Ladrón de Guevara, quienes también militaron en el Partido Liberal Mexicano. A este grupo se unieron el ingeniero Ángel Barrios y el profesor Faustino G. Olivera, comprometidos con la Revolución de tiempo atrás.

Para mediados de 1911, los revolucionarios oaxaqueños ya ocupaban las principales poblaciones que están a lo largo de la vía del ferrocarril y querían tomar la capital del estado. El objetivo de los revolucionarios era presionar para que se nombrara un nuevo gobernador que estuviera de acuerdo con el movimiento antirreeleccionista.

En 1910, Porfirio Díaz nuevamente fue nombrado presidente.

Francisco I. Madero llamó a los mexicanos a derrocar al dictador Díaz el 20 de noviembre de 1910.

A principios de 1911 la Revolución estalló en Oaxaca.

ACTIVIDADES

1. Pregunta a las personas mayores de tu comunidad o a tus abuelos, lo que les contaron o vieron de la Revolución de 1910. Escribe lo que te digan y en clase comenta con tus compañeros.

2. Localiza e ilumina en el mapa de Oaxaca las localidades donde estallaron levantamientos revolucionarios.

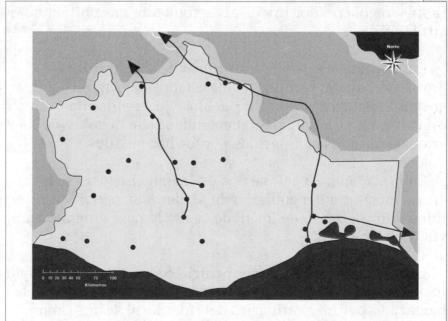

Cambios en Oaxaca

Elecciones para gobernador

En el mes de julio de 1911 hubo elecciones en nuestro estado. Los candidatos fueron Félix Díaz, sobrino del dictador, y Benito Juárez Maza, hijo de Benito Juárez. Hubo mucha participación y se pelearon los partidarios de uno y otro candidato, pero los votos favorecieron a Juárez Maza.

La gente estaba tan animada en esas elecciones que las mujeres, aunque no tenían derecho a votar, formaron clubes apoyando a sus candidatos.

También hubo cambios en la Cámara de Diputados y algunos jefes del movimiento maderista fueron electos, pero la mayoría de los diputados simpatizaban todavía con las ideas del Porfiriato.

Benito Juárez Maza.

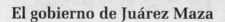

Félix Díaz.

El gobierno de Juárez Maza

El nuevo gobernador inició sus actividades en septiembre de 1911.

José "Che" Gómez.

En la Mixteca aparecieron grupos de seguidores de Emiliano Zapata, venidos de los estados de Guerrero y Puebla. Estos grupos zapatistas ocupaban pueblos y haciendas de los distritos de Silacayoapan y Huajuapan, demandando la devolución de las tierras arrebatadas a los campesinos por los hacendados.

En la Cañada, Ángel Barrios y Manuel Oseguera se levantaron en armas en contra del gobierno de Madero. Su actividad principal fue interrumpir el paso de los trenes, para lo cual dinamitaban puentes y las vías de ferrocarril.

Los problemas más graves ocurrieron en los distritos del Istmo. En Juchitán, el nombramiento que hizo Juárez Maza de un jefe político fue rechazado por los partidarios del líder local "Che" Gómez.

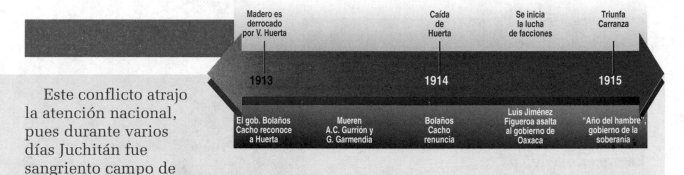

Madero es derrocado por V. Huerta		Caída de Huerta	Se inicia la lucha de facciones	Triunfa Carranza
1913		**1914**		**1915**
El gob. Bolaños Cacho reconoce a Huerta	Mueren A.C. Gurrión y G. Garmendia	Bolaños Cacho renuncia	Luis Jiménez Figueroa asalta al gobierno de Oaxaca	"Año del hambre", gobierno de la soberanía

Este conflicto atrajo la atención nacional, pues durante varios días Juchitán fue sangriento campo de batalla entre partidarios de Gómez y soldados federales. Juárez Maza fue al Istmo para imponer a Enrique León como jefe político, después de rechazar la intervención del presidente Madero. Cuando se dirigía a México el "Che" Gómez fue asesinado, lo que reabrió viejas heridas entre los istmeños.

En la Sierra Juárez se registró una huelga en la mina de Natividad, la más importante del estado. Más tarde, con los nativos de aquella región, se integró un batallón que permaneció en la ciudad de Oaxaca durante el viaje de Juárez Maza a Juchitán. Esta fuerza fue la base de los ejércitos serranos que participaron en la Revolución Mexicana.

Juárez Maza sólo duró siete meses en el cargo pues falleció repentinamente. En tan corto tiempo se interesó en mejorar las escuelas del estado y reglamentar la jornada de trabajo de los albañiles y de otros empleados. También enfrentó los conflictos políticos causados por el movimiento revolucionario en distintas regiones de la entidad.

Federales atacando a los Juchitecos.

IDEAS PRINCIPALES

En julio de 1911 hubo elecciones muy reñidas en Oaxaca.

Los candidatos fueron Benito Juárez Maza y Félix Díaz.

Juárez Maza triunfó pero su gobierno fue breve y problemático, pues hubo conflictos en varias partes del estado.

ACTIVIDAD

Relaciona correctamente con líneas lo siguiente:

- Gobernador de Oaxaca en 1911
- Región donde surgieron grupos de seguidores de Emiliano Zapata
- La mina más importante de Oaxaca
- Se levantaron en armas en la Cañada contra Francisco I. Madero

- Benito Juárez Maza
- M. Oseguera y Á. Barrios
- La Natividad
- La Mixteca

Oaxaca y la caída de Madero

La *decena trágica*

El gobierno de Madero enfrentó diversos levantamientos. Los de sus antiguos partidarios, Emiliano Zapata en Morelos y Pascual Orozco en Chihuahua, y los de los porfiristas Bernardo Reyes y Félix Díaz.

La última sublevación contra Madero tuvo lugar en febrero de 1913 en la ciudad de México. Ahí se rebeló una parte del ejército y durante diez días —la *decena trágica*— la capital del país fue campo de batalla. Hubo muchos muertos y heridos entre la población civil.

Iglesia de la Soledad, ciudad de Oaxaca.

Regeneración, periódico antimaderista.

En Oaxaca, alegría y procesiones

En la ciudad de Oaxaca hubo manifestaciones de júbilo cuando se supo que Madero había renunciado y estaba preso en Palacio Nacional. Los que en el pasado apoyaron a Félix Díaz organizaron actos públicos que incluyeron procesiones a la iglesia de La Soledad. La celebración alcanzó a los estudiantes del Instituto de Ciencias y a los empleados del gobierno que tuvieron varios días de descanso.

Madero fue traicionado por el general Victoriano Huerta, el jefe militar que combatía a los rebeldes. En estos hechos intervino el embajador norteamericano para unir a los enemigos del presidente de México. El presidente Francisco I. Madero y el vicepresidente José María Pino Suárez fueron asesinados el 22 de febrero de 1913. Huerta ocupó mediante la fuerza la presidencia.

El gobernador del estado, Miguel Bolaños Cacho, reconoció al gobierno del usurpador Huerta.

A Félix Díaz la suerte no lo acompañó.

No todos aplaudieron

Así como hubo oaxaqueños que celebraron la caída del gobierno maderista, hubo quienes defendieron con las armas en la mano o con la palabra los ideales revolucionarios. De este grupo destacan los militares Gustavo Garmendia y Manuel García Vigil y los profesores Adolfo C. Gurrión y Faustino G. Olivera.

Madero y su Estado Mayor, en el extremo derecho Gustavo Garmendia.

IDEAS PRINCIPALES

Debido a la traición del general Victoriano Huerta, el presidente Madero fue derrocado en febrero de 1913.

El presidente Madero y el vicepresidente José María Pino Suárez fueron asesinados por órdenes de Victoriano Huerta.

En la ciudad de Oaxaca hubo muestras de júbilo y de rechazo por el fin del régimen maderista.

ACTIVIDAD

Ordena las siguientes oraciones, de acuerdo con la manera en que ocurrieron los hechos históricamente. Consulta la línea del tiempo.

a. En la ciudad de México se rebela parte del ejército contra el gobierno maderista.
b. Francisco I. Madero llama a los mexicanos a derrocar al dictador Porfirio Díaz.
c. Francisco I. Madero y José María Pino Suárez son asesinados en la Ciudad de México.
d. Victoriano Huerta ordena detener al presidente Madero.

La Revolución continúa

Los movimientos contra Huerta

El movimiento zapatista del estado de Morelos no reconoció al gobierno de Victoriano Huerta. En el norte de México nació el ejército constitucionalista, encabezado por Venustiano Carranza, para combatir al general traidor.

Como el tiempo pasaba y el ejército federal no podía terminar con los revolucionarios, Huerta ordenó aumentar el número de soldados de su ejército. Muchos campesinos y artesanos oaxaqueños fueron obligados a entrar en el ejército, pero como iban forzados, no servían para pelear.

En el Istmo apareció un grupo rebelde que combatía en favor de la causa constitucionalista; tiempo después surgieron otros en Tuxtepec y en Pinotepa Nacional. En la Mixteca, crecieron los grupos armados oaxaqueños que se identificaron con el zapatismo y para 1914 dominaban todo el distrito de Silacayoapan.

Venustiano Carranza, líder del movimiento constitucionalista.

El gobierno del estado no podía controlar a esos grupos y no recibió apoyo de Huerta, quien estaba más preocupado en detener el avance de los revolucionarios que venían del norte del país.

Los apuros de un gobernador

Ciertas medidas del gobernador Miguel Bolaños Cacho —aumento de impuestos y cierre de escuelas elementales— provocaron un movimiento de protesta en la Sierra Juárez que exigió su renuncia. A mediados de julio de 1914, los serranos inconformes llegaron al Valle de Oaxaca y con las armas en la mano consiguieron la renuncia del gobernador.

El gobernador Bolaños Cacho.

Emiliano
Zapata.

Con todo y sustos
había tiempo para
el descanso en la
Mixteca.

IDEAS PRINCIPALES

Venustiano Carranza en el norte y Emiliano Zapata en el sur desconocieron al gobierno huertista.

En Oaxaca también surgieron pequeños grupos rebeldes contra el huertismo.

A mediados de 1914, la Sierra Juárez demandó la renuncia del gobernador Miguel Bolaños Cacho.

Mientras Bolaños Cacho abandonaba Oaxaca, en la ciudad de México, Huerta, ante el avance de los carrancistas, renunció a la presidencia de la República. La revolución constitucionalista había triunfado.

FUERZAS REVOLUCIONARIAS EN OAXACA · 1914

FUERZAS CARRANCISTAS

FUERZAS ZAPATISTAS

PUEBLA
TEOTITLÁN
TUXTEPEC
VERACRUZ
Norte
HUAJUAPAN
COIXTLA-HUACA
CUICATLÁN
SILACAYOAPAN
NOCHIX-TLÁN
IXTLÁN
CHOAPAN
TEPOSCOLULA
VILLA ALTA
ETLA
GUERRERO
TLAXIACO
CENTRO
PUTLA
OCOTLÁN
TLACOLULA
ZIMATLÁN
SAN JERÓNIMO
JAMILTEPEC
EJUTLA
JUCHITÁN
YAUTEPEC
CHIAPAS
TEHUANTEPEC
PINOTEPA NACIONAL
JUQUILA
MIAHUATLÁN
SALINA CRUZ
POCHUTLA
0 10 20 30 40 50 75 100
Kilómetros
PUERTO ÁNGEL
OCÉANO PACÍFICO

ACTIVIDAD

Dibuja en tu cuaderno un mapa de Oaxaca e ilumina de rojo la zona donde tuvo lugar la rebelión de la Sierra Juárez contra el gobernador Bolaños Cacho.

Huellas de la batalla entre Jiménez Figueroa y los serranos.

El constitucionalismo y los oaxaqueños

Las relaciones entre el jefe del ejército constitucionalista, Venustiano Carranza, y el gobierno oaxaqueño fueron difíciles, pues en la Ciudad de México se creía que el grupo que controlaba la vida política de nuestro estado era contrario a la Revolución.

Cuatro hechos ilustran los problemas entre Carranza y Oaxaca: el primero, los carrancistas ocuparon varias regiones del estado, como el Istmo y Tuxtepec, y no dejaron que las autoridades oaxaqueñas desarrollaran sus funciones.

Interior del Palacio de Gobierno que asaltó Luis Jiménez.

El segundo: en una reunión de gobernadores y jefes militares, celebrada en la capital del país, no se permitió la entrada a los representantes oaxaqueños, porque los acusaron de ser enemigos de la Revolución.

El tercero, en noviembre de 1914, Luis Jiménez Figueroa, oaxaqueño y militar constitucionalista, tomó sorpresivamente el palacio de gobierno y detuvo a quienes se encontraban en el edificio, entre ellos al gobernador. Luego formó su propio gobierno que duró pocos días, ya que un ejército de la Sierra Juárez, leal al gobierno del estado, lo atacó y tuvo que abandonar Oaxaca.

Guillermo Meixueiro fue uno de los principales caudillos de la Sierra Juárez.

Guillermo Meixueiro.

El cuarto fue la detención y muerte del general Jesús Carranza, hermano de Venustiano, en plena sierra mixe. Aunque en los hechos el gobierno oaxaqueño no tuvo ninguna intervención, los principales jefes constitucionalistas pensaron que las autoridades del estado protegían a los responsables.

Por otra parte, a nivel nacional, las fuerzas revolucionarias que derrotaron a Huerta no pudieron seguir unidas y pelearon entre ellas.

Jesús Carranza y oficiales constitucionalistas.

ACTIVIDAD

Junto con tus compañeros, analiza este fragmento de la canción histórica de la Sierra Juárez.

¿Qué te parece?

¿Qué entendiste?

Escríbelo en tu cuaderno.

El mosquito serrano

... Tenemos nuestros montes
cubriendo nuestros **lares**
la herencia del gran Juárez:
¡Oh!, la hermosa libertad.
Pero si el viento adverso
nos sopla despiadado
entonces coronado
con luces de **arrebol**
la frente levantada
el **máuser** en la mano,
el último serrano
caerá mirando al Sol...

1915: el año del hambre

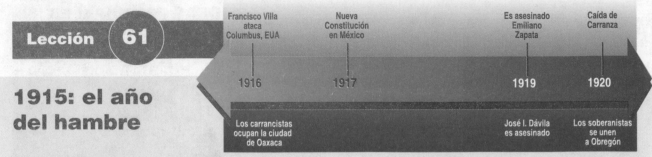

Francisco Villa ataca Columbus, EUA	Nueva Constitución en México		Es asesinado Emiliano Zapata	Caída de Carranza
1916	1917		1919	1920
Los carrancistas ocupan la ciudad de Oaxaca			José I. Dávila es asesinado	Los soberanistas se unen a Obregón

Los mexicanos que vivieron durante los años de la Revolución, recuerdan a 1915 como el "año del hambre". Fueron tiempos muy difíciles, de mucho sufrimiento para el pueblo. No hubo suficiente maíz, frijol ni trigo, alimentos que todos necesitaban. Los campos dejaron de sembrarse, ya que los hombres andaban de revolucionarios o huyendo de la violencia.

Además hubo sequía y llegó la plaga de la langosta. Nuestros abuelos recuerdan que, cuando aparecía la langosta, el cielo se oscurecía por la cantidad de insectos que volaban sobre los campos. Cuando bajaban sobre un terreno, las ramas de los árboles tronaban por el peso de miles y miles de langostas que, hambrientas, comían las hojas hasta dejar las puras ramas.

Como no se conocían medios efectivos para combatir la plaga, que venía del Istmo, en 1915 ésta afectó gravemente a los Valles Centrales y la Mixteca.

Aparte de las desgracias naturales, hubo hacendados que ocultaron sus cosechas con el fin de venderlas a mayor precio y aumentar sus ganancias. El gobierno estatal intentó traer maíz de otros lugares, pero no le fue posible, porque al igual que en Oaxaca, existían decretos que prohibían la salida de este alimento.

Las enfermedades hicieron su aparición, en particular el tifo y la viruela negra. Hubo muchos muertos ya que en Oaxaca no había las medicinas necesarias para atender a los enfermos, a quienes sólo se les aplicaban remedios caseros.

IDEAS PRINCIPALES

En 1915 hicieron crisis cinco años de Revolución.

El pueblo padeció hambre, aparecieron la langosta y las enfermedades. Muchos oaxaqueños murieron.

ACTIVIDADES

1. Dibuja cómo te imaginas la llegada de la langosta a los campos sembrados de maíz.

2. Reúne y escribe en tu cuaderno algunas anécdotas sobre la plaga de la langosta.

El constitucionalismo y la soberanía oaxaqueña

Oaxaca rompe con Carranza

Después de grandes batallas en el centro de México, la lucha entre los grupos revolucionarios se definió en favor del constitucionalismo. Una vez derrotado Francisco Villa y cercado Zapata en Morelos, Carranza dirigió su atención al sur de México.

José Inés Dávila.

En Oaxaca, el nuevo gobernador José Inés Dávila, rompió relaciones con Carranza. A mediados de 1915, por medio de un decreto, Dávila sostuvo que mientras México estuviera sin gobierno federal, Oaxaca no reconocería otra autoridad más que la suya. Tal declaración la hizo apoyándose en la Constitución liberal de 1857.

Para defender esta medida, el gobierno de Oaxaca, llamado también "de la soberanía", tuvo que organizar fuerzas armadas, hizo circular su propia moneda y sus timbres postales; creó nuevos distritos, pero los problemas crecieron.

Timbre postal del estado de Oaxaca.

Carranza respondió enviando al general Jesús Agustín Castro, que se encontraba en Chiapas, a ocupar militarmente el territorio oaxaqueño. Con el cargo de gobernador y comandante militar, Castro instaló su cuartel general en el puerto de Salina Cruz.

AVANCE CARRANCISTA EN OAXACA • 1916

TERRITORIO DOMINADO POR CARRANCISTAS

PUEBLA

VERACRUZ

Norte

TEOTITLÁN · TUXTEPEC

HUAJUAPAN · COIXTLA-HUACA · CUICATLÁN

SILACAYOAPAN · NOCHIX-TLÁN · IXTLÁN · CHOAPAN

TEPOSCOLULA · ETLA · VILLA ALTA

GUERRERO

TLAXIACO · CENTRO

OCOTLÁN · TLACOLULA

PUTLA · ZIMATLÁN · SAN JERÓNIMO

JAMILTEPEC · EJUTLA · JUCHITÁN

PINOTEPA NACIONAL · JUQUILA · MIAHUATLÁN · YAUTEPEC · TEHUANTEPEC · SALINA CRUZ

CHIAPAS

POCHUTLA

0 10 20 30 40 50   75   100
Kilómetros

PUERTO ÁNGEL · OCÉANO PACÍFICO

SOBERANISTAS Y COSTITUCIONALISTAS EN OAXACA · 1916

Las fuerzas carrancistas avanzaron sin que los soberanistas lograran detenerlas. Con armamento superior y fuerzas mejor preparadas, los constitucionalistas ocuparon la ciudad de Oaxaca en marzo de 1916.

El gobierno de Dávila se refugió en Tlaxiaco, en la Mixteca, y desde ahí organizó la defensa. Durante los tres años siguientes hubo en la Sierra Juárez y en la Sierra Sur grupos armados que combatieron al carrancismo.

Con los constitucionalistas en Oaxaca se formaron los primeros sindicatos, a través de los cuales los trabajadores exigieron mejores condiciones de vida. Se favoreció la organización de grupos campesinos de los Valles Centrales, para solicitar el reparto de tierras que estaban en poder de los hacendados.

El 5 de febrero de 1917, en la ciudad de Querétaro, se expidió la nueva Constitución Política de los Estados Unidos Mexicanos. Los soberanistas oaxaqueños la reconocieron tres años después, cuando ya habían muerto Dávila y el mismo Carranza.

IDEAS PRINCIPALES

En 1915 el gobierno de Oaxaca rompió relaciones con el constitucionalismo.

Venustiano Carranza envió un ejército para combatir a los "soberanistas" oaxaqueños.

Los constitucionalistas en Oaxaca fundaron los primeros sindicatos de trabajadores y los campesinos comenzaron a solicitar tierras.

ACTIVIDAD

Por equipo prepara un noticiero histórico donde se destaquen los acontecimientos más importantes de la Revolución en Oaxaca.

150

UNIDAD 15

OAXACA CONTEMPORÁNEO

Niñas oaxaqueñas.

Cambios de la Revolución

La Revolución Mexicana produjo muchos cambios. Se crearon nuevas instituciones, surgió un nacionalismo promotor de mejoras económicas y una creciente participación social y política. El movimiento revolucionario iniciado por Francisco I. Madero, sigue inspirando hoy en día los afanes de justicia, libertad, soberanía y democracia en el país.

Los obreros y campesinos se organizan

También la Revolución produjo cambios para los trabajadores y los campesinos. Los trabajadores de algunas fábricas como las de San José y Vista Hermosa, en Etla, que se dedicaban a producir manta, se asociaron en sindicatos para defender sus derechos. En 1929 se fundó la Confederación de Ligas Socialistas de Oaxaca.

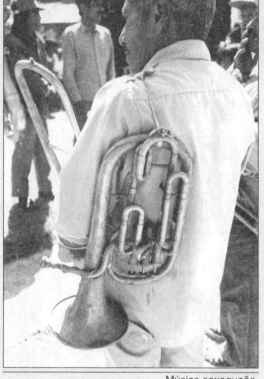

Músico oaxaqueño.

Por su parte los campesinos insistieron en el reparto de tierras que estaban en manos de grandes propietarios. En 1931 surgió la Confederación Oaxaqueña de Campesinos y posteriormente llegó a Oaxaca la Confederación Campesina Mexicana. Entre 1934 y 1940 se dieron los principales repartos de tierras de las regiones de Tuxtepec, el Istmo, la Costa y los Valles Centrales.

Obras importantes

Entre 1940 y 1960 se construyeron carreteras, como las que comunican a la ciudad de Oaxaca con el Istmo de Tehuantepec. También se construyeron las que van de Oaxaca a la ciudad de México y de Oaxaca a Tuxtepec.

Las carreteras permitieron que los oaxaqueños de diferentes regiones estuvieran mejor comunicados y que sus productos pudieran llevarse a otros lugares.

Se construyeron también las presas Miguel Alemán o Temazcal en la región de Tuxtepec y la Benito Juárez en el Istmo.

Se llevó energía eléctrica a muchas poblaciones y con ella llegó también la radio y la televisión. En algunos lugares surgieron industrias y se desarrolló la pesca, la producción de café, el cultivo de árboles frutales y otras actividades de las que viven los oaxaqueños.

Presa Miguel Alemán.

ACTIVIDAD

De los siguientes servicios públicos, tacha con una X los que existan en tu comunidad:
Alumbrado en las calles, agua potable, drenaje, hospital, Cruz Roja y carro recolector de la basura.

Culturas: fortaleza de Oaxaca

José Vasconcelos.

Resurge la cultura regional

Otros cambios de la Revolución en Oaxaca fueron la creación de un gran número de escuelas y el resurgimiento de nuestras tradiciones populares: la música, las danzas y las artesanías. Se iniciaron, por ejemplo, las fiestas de los lunes del cerro en la ciudad de Oaxaca, donde representantes de diversas regiones acuden cada año a interpretar su música y bailes autóctonos.

Andrés Henestrosa.

A pesar de los cambios, en Oaxaca se siguen conservando antiguas tradiciones y costumbres como el *tequio* y la *guelaguetza*. También se mantienen las mayordomías para celebrar al santo patrono del pueblo.

Arte y cultura popular

El patrimonio cultural, artístico, arquitectónico e histórico de Oaxaca es uno de los más ricos de México. La cultura popular es muy rica en Oaxaca y es tan fuerte e importante que influye en las diversas expresiones artísticas.

Los pintores, músicos y escritores se inspiran en las raíces culturales populares para crear un arte que, como el de los pintores Rufino Tamayo, Francisco Toledo y Rodolfo Morales, recorre el mundo entero. Muchos pueblos siguen manteniendo sus hermosos vestidos originales y su artesanía de barro, lata y carrizo, entre otros materiales.

Rufino Tamayo, *Hombre a la puerta*.

En Oaxaca han existido en diversas épocas, escritores importantes. Entre ellos José Vasconcelos, político y literato; Andrés Henestrosa y Gabriel López Chiñas iniciaron un movimiento de rescate de la literatura zapoteca. Diversos grupos, siguiendo ese camino, están escribiendo en sus propias lenguas la historia y las costumbres de sus pueblos.

Francisco Toledo, *La bicicleta*.

El pueblo oaxaqueño ama la música. Las bandas de música son muy apreciadas en la vida de las comunidades, porque acompañan los principales momentos de las personas como su nacimiento, su boda y hasta su muerte. La música popular y romántica de Oaxaca se conoce en todo México. Ejemplos conocidos son *La Zandunga, Dios nunca muere, La canción mixteca* y las composiciones de Álvaro Carrillo.

Todo ese patrimonio cultural debe ser protegido, conservado y difundido.

Rodolfo Morales, *Zapata*.

IDEAS PRINCIPALES

La Revolución permitió que la educación y las escuelas se extendieran por todo el territorio de Oaxaca.

La cultura de los pueblos oaxaqueños es muy importante e influye en sus pintores, músicos y escritores.

Oaxaca posee uno de los más ricos patrimonios culturales de México.

ACTIVIDAD

1. Investiga con tus familiares qué canciones, bailes y tradiciones existen en el lugar donde vives.

Problemas actuales

A pesar de la gran variedad de recursos naturales que tiene nuestro estado, de sus profundos valores comunitarios y de la riqueza de sus idiomas y cultura, son muchos los problemas que aún padece.

Problemas económicos

La pobreza, la falta de empleos y la poca producción, hacen que Oaxaca se encuentre muy atrás en relación con otros estados de la República. Mucha gente tiene que salir a buscar trabajo a la capital del país, a otras entidades federativas y a veces a otros países.

Si no se toman medidas adecuadas, la industria contamina el agua y el aire.

La situación social

Con sus enormes montañas nuestro estado sigue teniendo problemas para comunicarse. Más aún porque la mayor parte de la gente vive en pueblos pequeños y dispersos en las montañas. Esto dificulta los avances en la comunicación, la instalación de tubería para distribuir agua potable, la luz eléctrica y otros servicios necesarios para mantener la salud y mejorar el nivel de la vida diaria.

En muchos lugares sigue habiendo personas que no saben leer ni escribir y por ello tampoco pueden adquirir nuevos conocimientos como tú lo estás haciendo. El que no lee, dice el dicho, es como el que no ve.

Muchos niños oaxaqueños no tienen alimentos suficientes para que crezcan fuertes y sanos, padecen **desnutrición** y por ello se enferman con mayor facilidad.

Estos problemas se agravan porque la población sigue creciendo y requiriendo más alimentos, más empleos, más agua y servicios de salud, mejor educación y vivienda digna.

Entre 1940 y 1990 la población se duplicó en el estado y se piensa que si sigue creciendo tan rápido, en 28 años será el doble de la población que en 1990.

La basura contamina.

La defensa del medio ambiente

Por otra parte, el deterioro de nuestros ríos, costas, bosques y selvas es un grave problema. El agua en muchos lugares se está contaminando con basura y desperdicios. Los árboles se están talando sin que se siembren otros. El peligro de destrucción de nuestra selva de Los Chimalapas, en el Istmo, puede provocar serios trastornos en el clima, así como provocar la desaparición de muchas especies animales y vegetales. El cuidado de la naturaleza es vital para nuestro futuro: para tu futuro y el de las generaciones que vendrán más adelante.

Historia y futuro

Aquí termina tu curso *Oaxaca. Pasado y Presente*, pero la historia de Oaxaca y su milenaria cultura no terminan. Tú eres parte de esa historia y heredero de esa cultura. Sobre todo, eres parte del futuro de Oaxaca y de México.

IDEAS PRINCIPALES

Entre los problemas de Oaxaca se encuentran la falta de empleos y la poca producción.

La deficiente alimentación, el analfabetismo y las enfermedades, son problemas que afectan a mucha gente en el estado.

La protección de la naturaleza y el mejor aprovechamiento de los recursos es fundamental para Oaxaca.

ACTIVIDADES

1. Elabora un plan con tu grupo para conservar limpia tu escuela, tu casa y tu comunidad.

2. Con tus compañeros investiga si ha habido cambios en el paisaje de tu región debido a la erosión del suelo o a la tala de bosques.

GLOSARIO

Agotar: Vaciar, acabar.

Alianza: Unión de personas o grupos para hacer algo de común acuerdo.

Amnistía: Perdón de los delitos políticos.

Arqueología: Estudia las culturas antiguas a través de los restos humanos, de monumentos, de cerámica, de escritos y de cualquier otro tipo que de ellas se conservan.

Arrebol: Color rojo de las nubes.

Asonada: Reunión de un grupo numeroso de personas para conseguir violentamente un fin político.

Caudaloso: Abundancia de agua.

Clero: Los sacerdotes de la iglesia católica.

Códice: Libros que hacían las culturas mesoamericanas.

Colindar: Lindar, tocarse.

Desembocar: Desaguar los ríos en el mar.

Desnutrición: Trastorno por alimentación insuficiente.

Domesticar: Acostumbrar a un animal a la compañía del hombre.

Dominicos: Frailes de la Orden de Santo Domingo.

Elección: Nombramiento de una persona por votación.

Epidemia: Rápida difusión de una enfermedad contagiosa.

Erosión: Destrucción lenta producida entre otros factores por la lluvia y el viento.

Esclavo: Persona que por estar bajo el dominio de otra, carece de libertad.

Especie: Clasificación biológica de los seres vivos.

Estaciones: Cada una de las épocas en que se divide el año solar: primavera, verano, otoño e invierno.

Estrecho: Paso angosto entre dos tierras y por el cual se comunica un mar con otro.

Expedición: Viaje con el fin de realizar una empresa.

Germinar: Brotar las semillas.

Glifo: Figura que representa una fecha o un acontecimiento entre los antiguos.

Guerrilla: Pequeños grupos que atacan al enemigo por sorpresa, retirándose rápidamente.

Lares: Lugares.

Máuser: Fusil.

Nómada: Que vive errante.

Permanente: Que dura sin modificaciones.

Presa: Depósitos que se construyen para guardar y regular el agua de los ríos.

Pronunciamiento: Levantamiento armado.

Reelección: Acción de ser elegido nuevamente.

Religión: Creencias acerca de la divinidad.

Sedentario: Que permanece en un lugar.

Símbolo: Figura que representa algo.

Soberanía: Autoridad suprema que corresponde al pueblo.

Sufragio: Voto

Tributo: Pago

Vertiente: Sitio por donde corre o puede correr el agua.

Virreinal: En este caso se refiere al virreinato de Nueva España. El virrey representaba al rey de España.

Oaxaca
Historia y Geografía. Tercer grado
Se imprimió por encargo de la
Comisión Nacional de Libros de Texto Gratuitos,
en los talleres de Procesos Industriales de Papel, S.A de C.V.,
con domicilio en Av. 16 de Septiembre núm. 145,
Fraccionamiento Industrial Alce Blanco, C.P. 53370,
Naucalpan de Juárez, Estado de México, el mes de enero de 2003.
El tiraje fue de 116,200 ejemplares
más sobrantes de reposición sobre papel offset reciclado,
con el fin de contribuir a la conservación del medio ambiente,
al evitar la tala de miles de árboles
en beneficio de la naturaleza y los bosques de México.

Impreso en papel reciclado